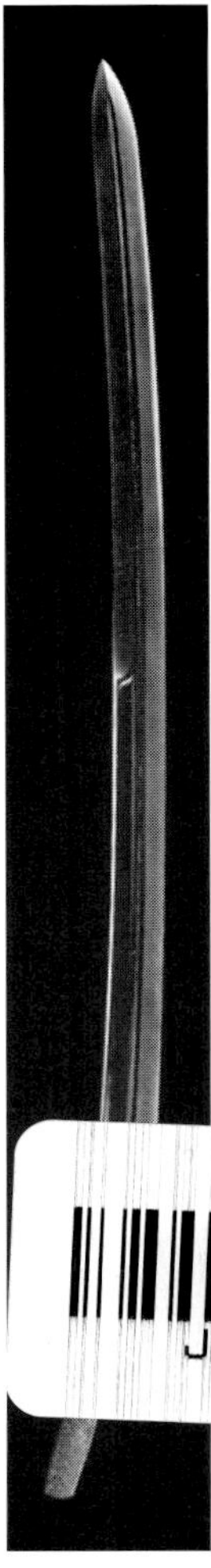

小烏丸

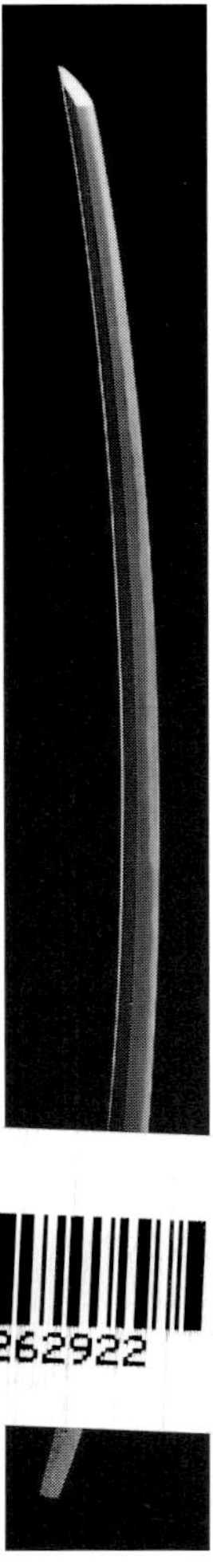

童子切安綱

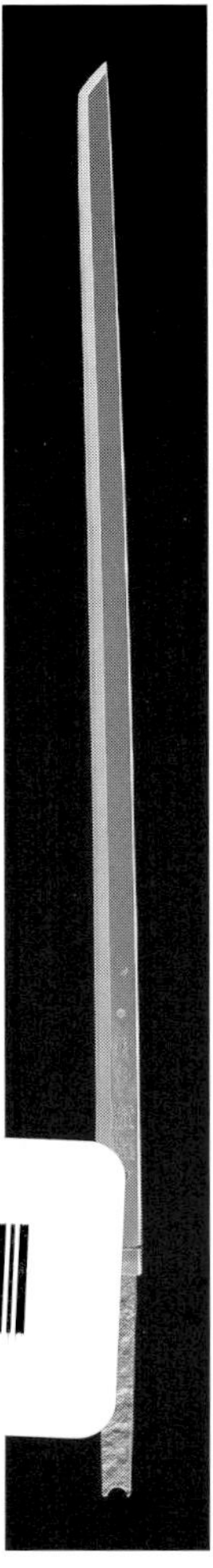

丙子椒林剣

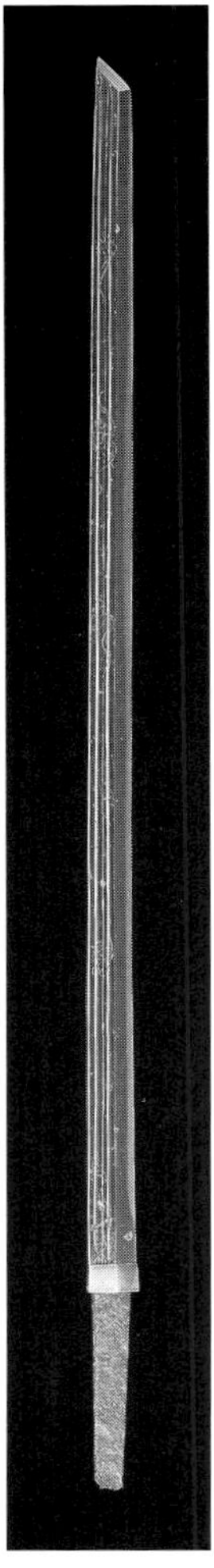

七星剣

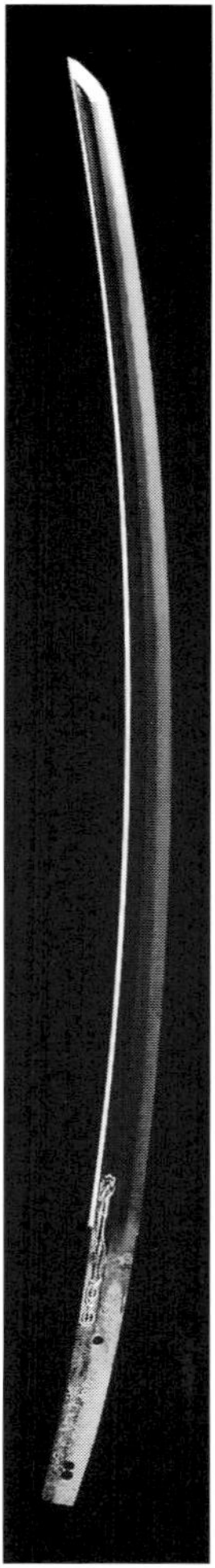
小竜景光

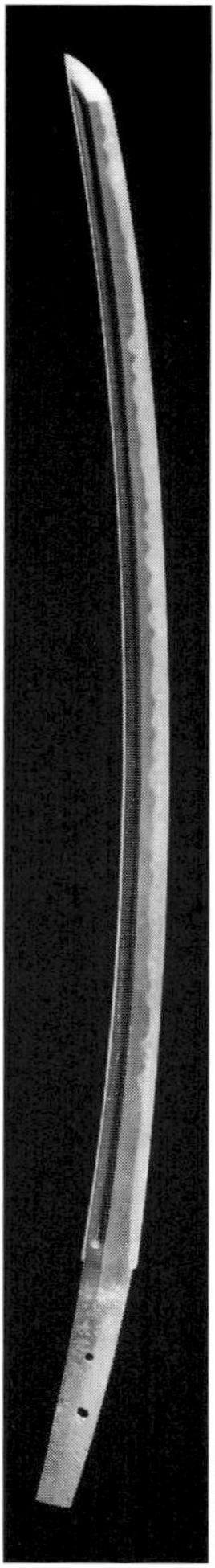
大般若長光

大典太光世

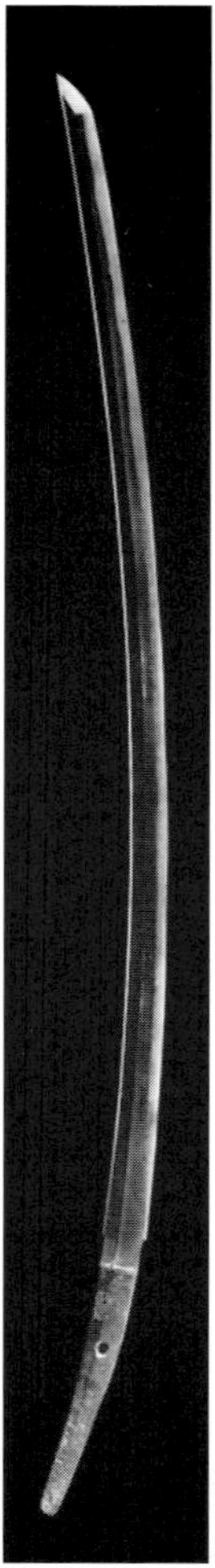
鬼丸国綱

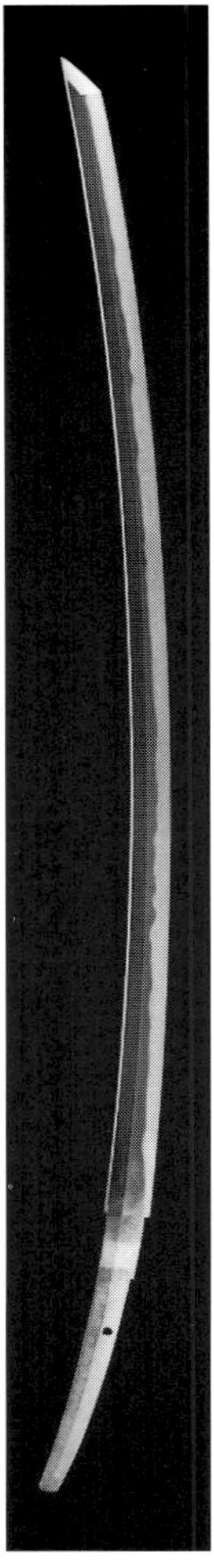
上杉太刀

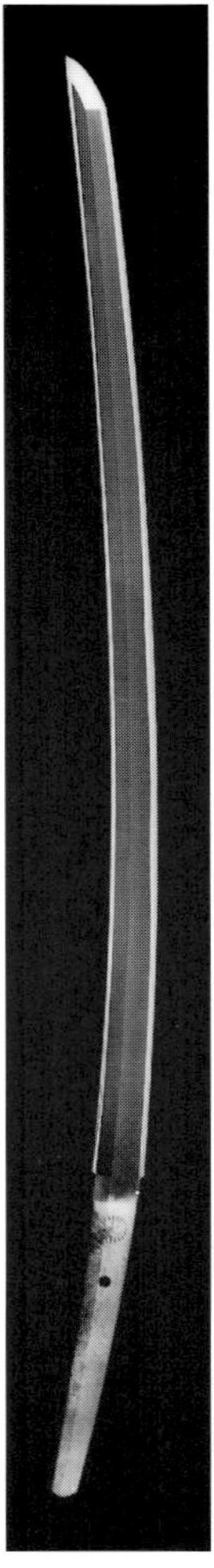
葵崩し菊紋の太刀

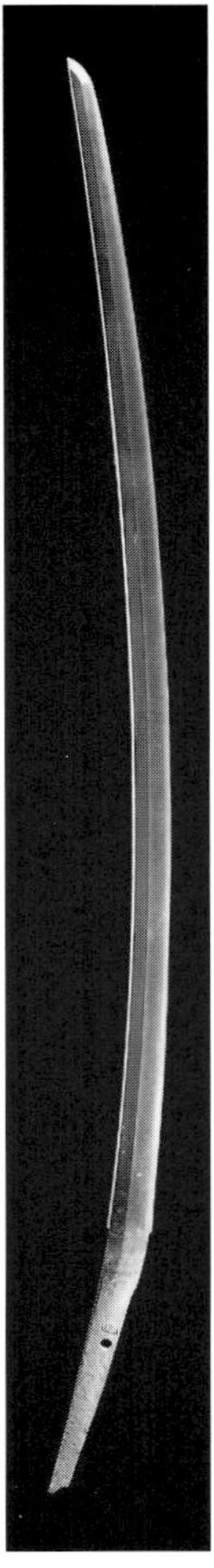
三日月宗近

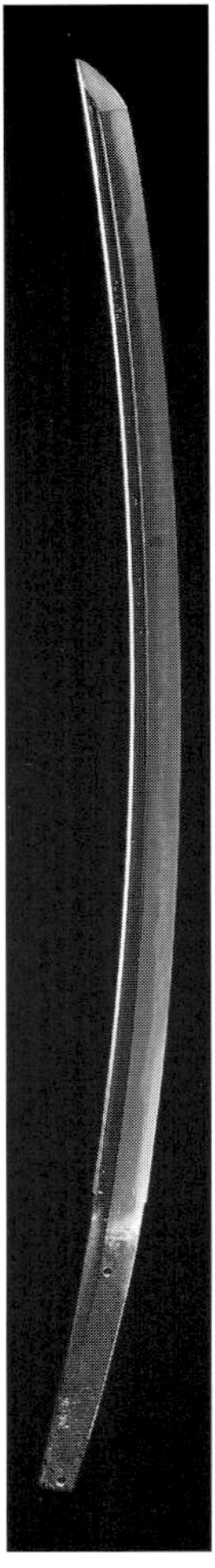
日光助真

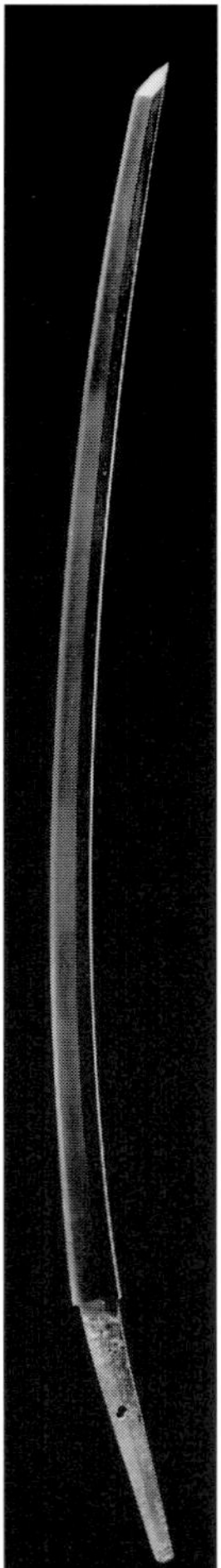
獅子王

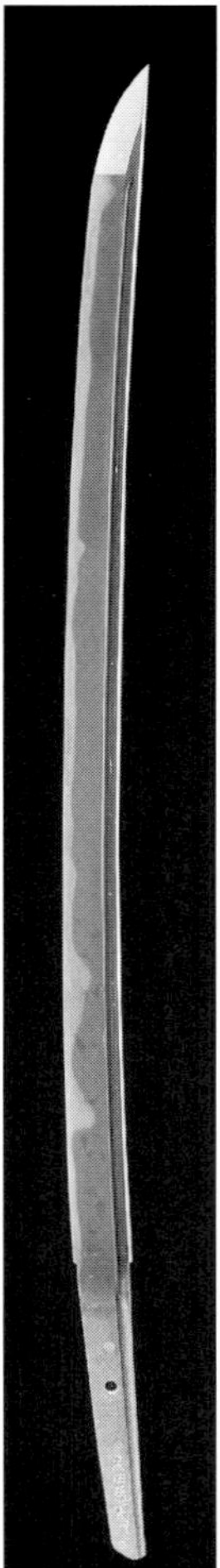
へし切長谷部

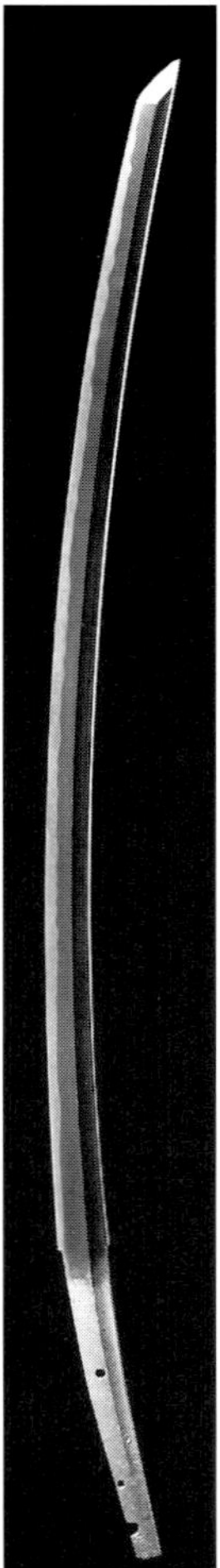
大包平

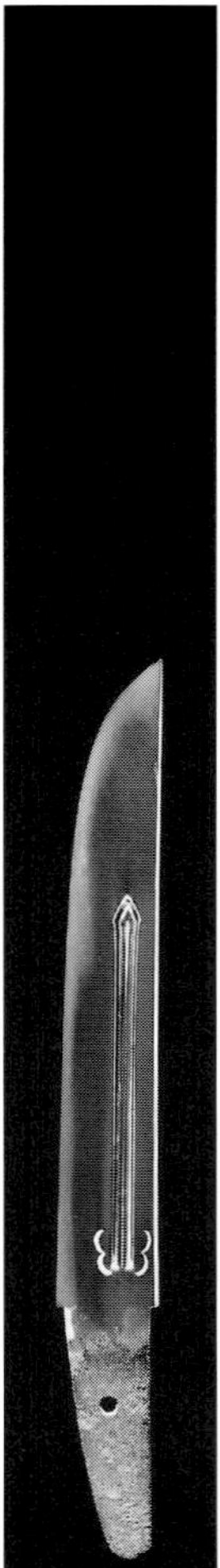
包丁正宗

名刀 その由来と伝説

牧秀彦

光文社新書

はじめに　名刀は誰の手に渡り、何のために使われたのか?

すべての刀には、作られ、そして伝えられてきた時代の記憶が息づいている。名刀と呼ばれるものの場合、背負った歴史はとりわけ深い。平安、鎌倉、戦国、江戸といった各時代に鍛《きた》えられた一振《ふ》りの刀が、どうして今、自分の目の前にあるのだろうか。はたして何者が鍛え上げて世に送り出し、持ち主となった者たちはどのような想いを抱きながらこの刀を握っていたのだろうか。研ぎ上げられ、鏡の如く澄み切った刀身の向こうに、一振りごとに関わっていたであろう幾多の人々が生きた時代を見出したくなってくるのだ。

刀そのものを扱った日本刀の専門書は数多い。しかし、その手の本で語られるのは、名刀と呼ばれる刀の長さ、反《そ》り、そして時代・産地別に異なる刃文《はもん》などといったスペック（仕様）である。たしかに、刀剣研究・鑑賞の専門家による解説は詳細きわまりなく、私も拝読するたびに勉強になっている。

とはいえ、これから本格的に刀剣鑑賞に取り組もうという一部の限られた読者以外にとっては、内容が難しすぎてとっつきにくいというのも事実だ。いきなり膨大《ぼうだい》かつ難解なスペック・専門用語を並べられたのでは、せっかく芽生えた刀への関心そのものが失せてしまう。

もっと多くの方々に刀の魅力を知ってほしいと切《せつ》に願う者のひとりとして、これほど残念なことはない。

私は、それぞれの名刀が持つ独特の姿形や刃文を鑑賞し、その美しさを愛《め》でること自体を否定するつもりは毛頭ない。しかし、私自身、刀に関心を抱いたばかりのときのいちばんの興味の対象は、スペックでもなければ専門用語でもなかった。

躍動する時代のなかで、名刀と呼ばれる刀が誰の手に渡り、何のために使われてきたのか。一振り一振りの裏に隠された歴史のドラマこそが知りたいのである。

そもそも名刀は、誕生した瞬間から名刀だったわけではない。

たしかに、各時代を代表する有名刀工が手がけた逸品だからこそ世の人々は先を争って求め、高値を呼んだわけだが、たったそれだけのことで現代に至るまで連綿《れんめん》と語り継がれるに値したとはいえまい。

たとえば、「童子切安綱《どうじぎりやすつな》」「鬼丸国綱《おにまるくにつな》」など、おどろおどろしい響きを持つ名刀の異名《いみょう》を耳にするたびに胸をときめかせずにいられないのは、その歴代の所有者たちが遺《のこ》してくれた、さまざまな物語があればこそなのだ。

ただの刀がどうやって名刀と呼ばれるに至ったのか、本書では五十振りの名刀を取り上げ、その由来と伝説をたどっていく。

「神話・天皇家の名刀」「源平の名刀」「足利将軍家の名刀」「武将・大名の名刀」「徳川将軍家の名刀」「伝承・怪談の名刀」と、それぞれの名刀が生まれたエピソードごとに六つのジャンルに分け、紹介した。

メインとなるのはスペックではなく、その名刀から透けて見える人物伝である。

乱世の合戦場で名を馳《は》せた戦国武将の勇姿、武家政権を存続させるべく英知をめぐらせた歴代幕府の将軍たちの政治手腕と権謀術数《けんぼうじゅつすう》、天皇が御剣《ぎよけん》に託した権威と想い、そして妖刀《ようとう》にまつわる伝承・怪談から見えてくる闇に包まれた時代の雰囲気……。

予備知識の有無はともかく、名刀に息づく芳醇《ほうじゅん》なドラマをまずはお楽しみいただきたい。

五十振りの名刀から見えてくるのは、神代《かみよ》から幕末まで、日本人が歩んできた歴史そのものでもあるのだ。

目次

はじめに　3

神話・天皇家の名刀　11

アマテラスにヤマトタケルといった記紀《きき》神話に登場する神々の愛刀から、その末孫たる天皇家が代々受け継いだ秘刀の数々まで。

十握剣13　草薙剣18　大刀契と壺切御剣24
七星剣と丙子椒林剣29　節刀35

源平の名刀　41

源氏と平家の二大武士団が激突した源平合戦。パワーバランスを逆転させせたサムライたちにまつわる名刀伝説の虚実と明暗を辿る。

足利将軍家の名刀　83

北条一族に代わって武家の棟梁《とうりよう》となった足利氏。初代の尊氏から十三代義輝まで、栄枯盛衰をともにした剛刀・利刀、そして宝刀。

武将・大名の名刀　103

漢《おとこ》たちが見果てぬ夢を追いかけた群雄割拠の時代。明日にも戦でその命を落としかねなかった彼らがその愛刀に託した想いとは？

徳川将軍家の名刀　153

二百六十余年にわたって天下太平の世を統《す》べた徳川幕府。合戦が絶えた江戸の世で、なお古今の刀を求めた将軍たちの真意を探る。

伝承・怪談の名刀　185

不気味にほほえむ女の霊、一族に崇る妖刀の謎……背筋も凍る逸話から神秘的な伝説まで、思わず誰かに物語りたくなる五つの怪。

※本書には刀剣関係の専門用語が多数登場しますので、213ページから始まる「日本刀の基礎知識」にざっと目を通しておくことをおすすめします。

神話・天皇家の名刀

わが国の名刀群を振り返るうえで、神代《かみよ》を無視するわけにはいかない。

八世紀初めに成立した『古事記《こじき》』と『日本書紀《にほんしょき》』、いわゆる記紀《きき》神話にはさまざまな神々とその愛刀が登場する。記紀神話の世界で太陽神アマテラスオオミカミ（天照大神）の子孫と位置づけられた天皇を頂点に戴《いただ》く、大和朝廷《やまとちょうてい》の「武」の一面を象徴するアイテムとして、本章ではまず最初に十握剣《とつかのつるぎ》と草薙剣《くさなぎのつるぎ》を取り上げた。

三種《さんしゅ》の神器《じんぎ》のひとつでもある草薙剣はつとに名高いが、天皇の権威の象徴とされた名刀は他にもある。即位する新天皇に大刀契《だいとけい》、皇太子には壺切御剣《つぼきりのみつるぎ》が授けられ、主に武官へ下賜《かし》された節刀《せっとう》の権威は、近世に至るまで機能した。また、古代の皇族出身の名君として知られる聖徳太子《しょうとくたいし》の愛刀、七星剣《しちせいけん》と丙子椒林剣《へいししょうりんけん》も紹介する。

神話を通じて天孫《てんそん》の末裔たる権威を正当化すると同時に、現実の世界においても刀剣を権威の象徴として重く用いてきた天皇家にまつわる名刀由来をたどっていこう。

十握剣《とつかのつるぎ》　日本誕生と子殺しの神剣

巨大な神々のための巨大な神剣

和銅《わどう》五年（七一二）に編纂《へんさん》された国史書『古事記《こじき》』は、六世紀ごろ成立した宮廷内の伝承「帝記《ていき》」「旧辞《きゅうじ》」をもとに天皇を神の子孫と位置づけることで大和朝廷の中央集権政治に説得力を持たせんとする、当時の国策の一環として生み出された。

さらに養老《ようろう》四年（七二〇）の『日本書紀《にほんしょき》』成立を皮切りに、歴代天皇の時代を編年《へんねん》体《たい》でまとめた六国史《りっこくし》が、延喜《えんぎ》元年（九〇一）までに編纂された。

ちなみに以下の六国史は、延暦《えんりゃく》十六年（七九七）の『続日本紀《しょくにほんぎ》』、承和《じょうわ》七年（八四〇）の『日本後紀《にほんこうき》』、貞観《じょうがん》十一年（八六九）の『続日本後紀《しょくにほんこうき》』、元慶《がんぎょう》三年（八七九）の『日本文徳天皇実録《にほんもんとくてんのうじつろく》』と続き、延喜元年の『日本三代実録《にほんさんだいじつろく》』を以《もっ》て完結するに至った。

とりわけ有名な『日本書紀』は、『古事記』と合わせて〃記紀《きき》〃と称され、天地創造から大和《やまと》朝廷《ちょうてい》の支配体制が確立するに至るまでの経緯《いきさつ》が、壮大な神話に仮託して語られている点が興味深い。

この記紀神話に登場する十握剣は、国生みの父となった男神の**イザナギノミコト**(伊弉諾尊)が、次いで**スサノオノミコト**(素戔嗚尊)が愛用した神剣だ。

呼称は柄《つか》が十握り、つまり拳十個分もあったことに由来する。用いられた局面によって天之尾羽張《あめのおはばり》、伊都之尾羽張《いつのおはばり》、天羽々斬《あめのはばきり》などの別称も存在するが、形状については十握剣が最も端的な、わかりやすい呼称といえるだろう。

現存しない以上、形状は想像する以外にないが、記紀神話が編纂された奈良時代のスタンダードな刀剣といえば、まだ反《そ》りのない直刀《ちょくとう》である。神話世界として後づけで生み出された内容だけに、編纂当時の刀剣をイメージして描写されているとしても不思議ではあるまいが、生身の人間より巨大な神々の愛刀だけに、柄が十握りもあったという点はきわめてリアリティーを感じさせる。

剣の源《みなもと》

十握剣が最初に登場するのは、イザナギの子殺しの場面だ。

イザナギ・イザナミノミコト（伊弉冉尊）の夫婦神は日本列島を創造したのに引き続き、さまざまな神々を現世《げんせ》へと送り出した。

ところが火の神カグツチ（阿遇突智神）を出産したとき、イザナミの母体は生まれ落ちながらに炎を放つ胎児に焼かれ、息絶えた。激怒したイザナギは十握剣を抜き放ち、母親を死に至らしめたカグツチの首を刎《は》ねてしまう。

残酷なエピソードだが、この子殺しの話は神話特有の再生譚《さいせいたん》でもある。カグツチの亡骸《なきがら》から流れた血は、雷火《らいか》、岩石、谷の水、さらには多くの山の神を新たに生み出した。いずれも天然自然の力であり、生身の人間に制御し得ない点ではカグツチとなんら変わらないが、雷火は火をもたらし、さらには落下して岩石（鉄鉱石）を砕き、砂鉄と為して利用できるようにしてくれる。火と鉄、そして冷却用に谷の水が存在すればこそ、人間は剣を鍛造《たんぞう》することが可能となったのだ。

つまり、放置しておけば燃え広がり災厄の源となるばかりの火の神を消滅させ、代わりに人類に有益な形に再生させたイザナギの子殺しは、日本人が刀剣を獲得するきっかけを暗示させるものなのだ。

スサノオVSヤマタノオロチ

死して黄泉《よみ》の国の女王となり世界を脅《おびや》かす存在となった妻のイザナミと訣別したイザナギは、太陽神アマテラスオオミカミ（天照大神）、月神ツキヨミ（月読神）、海原と根《ね》の国（地上世界）を支配するタケハヤスサノオ（健速須佐之男神。後のスサノオノミコト）をひとりで生み出す。そして、国土創成事業の後を託された三人の貴い子、すなわち三貴子《さんきし》と呼ばれた姉弟の末っ子・スサノオが十握剣を受け継ぐ。

ところが、若き神は亡き母を恋い慕《つの》ってやまないがために父から嫌われ、さらに、神々の国である高天原《たかまがはら》（天界）で粗暴に振る舞い、平和を乱したことから姉たちに恐れられ、地上世界へ永久追放されてしまう。

出雲国《いずものくに》に降り立ったスサノオは、荒ぶる大蛇ヤマタノオロチ（八岐大蛇）を退治し、その毒牙から稲田《いなだ》の女神クシナダヒメ（奇稲田媛命）の命を救う。やがて、美しい女神とスサノオの末裔であるオオクニヌシ（大国主神）が、出雲を振り出しに地上世界の王となっていくのだが、ここで注目したいのは、斃《たお》された大蛇から出現した一振《ふ》りの剣である。

酒で酔わせたヤマタノオロチを十握剣で斬り殺したスサノオは、間をおくことなく尾に一太刀《ひとたち》を浴《あ》びせた。ところが、思いがけず刃が欠けてしまう。かつて父のイザナギが黄泉の国の軍勢を一蹴し、その真価を示した武具が脆《もろ》くも砕けたのは、大蛇の尾のなかに眠っていた剣に撥《は》ね返されたためだった。

十握剣の斬撃《ざんげき》を阻《はば》むほど強靱《きようじん》な一振りを稀有《けう》な神剣と悟ったスサノオは、わが物にすることなく、姉のアマテラスへ献上する。

後に草薙剣《くさなぎのつるぎ》と呼ばれることになる神剣は、かくして世に出たのであった。

草薙剣《くさなぎのつるぎ》　悲しき英雄ヤマトタケル

「三種《さんしゅ》の神器《じんぎ》」のひとつ

ヤマタノオロチの尾のなかから現れ、かの十握剣《とつかのつるぎ》をも砕く強靱《きようじん》ぶりを示した一振《ふ》りの剣は、天界を司《つかさど》る太陽神**アマテラスオオミカミ**（天照大神）に委ねられた。出雲国《いずものくに》の荒ぶる大蛇の霊気が結晶した神剣は、当初、天叢雲剣《あめのむらくものつるぎ》と呼ばれた。出現するたびに上空へ雲を湧《わ》き立たせていたヤマタノオロチにちなんだ名前である。

アマテラスが孫のニニギ神（邇邇芸神）を天皇家の祖とするべく地上世界へ遣わしたとき、この神剣を鏡（八咫鏡《やたのかがみ》）と勾玉《まがたま》（八尺勾玉《やさかのまがたま》、もしくは八坂瓊曲玉《やさかにのまがたま》）に添えて授けた。爾来《じらい》、天皇の神璽《しんじ》（ステイタスシンボル）となった三つの至宝を指して「三種の神器」と呼ぶ。

十二代景行《けいこう》天皇の御代《みよ》に至るまで、三種の神器は伊勢神宮《いせじんぐう》に安置されていた。天皇家より未婚の姫君が斎宮《さいぐう》として出仕し、かのアマテラスを祭神とする社《やしろ》において神璽を守ってきたのである。

天皇家の専有物というイメージのある三種の神器だが、天孫降臨によって地上世界へもたらされ、伊勢神宮に納められた鏡・玉・剣は、たとえ歴代の天皇といえども、即位のとき以外は動かせなかったのだ。

とりわけ鏡は、アマテラスの神霊を宿す御魂代《みたましろ》、すなわち御神体《ごしんたい》であり、国の祭政を司る不動の力の象徴として最も尊ばれた。故に、鏡のみは伊勢神宮から熱田《あつた》神宮を経て現在は皇居内の賢所《かしこどころ》（社殿）に奉祀《ほうし》され、新天皇が即位するときも持ち出されることはない。国事として執《と》り行われる儀式「剣璽等承継《けんじとうしょうけい》」の場にて奉安《ほうあん》されるのは剣と勾玉のみで、それも古《いにしえ》の現物ではなく代用品である。

劫火《ごうか》に囲まれた御子《みこ》の秘策

話を記紀神話に戻そう。伊勢神宮に安置されてから幾星霜《いくせいそう》、神代《かみよ》の神剣が再び世に出たのは、西征《さいせい》・東征《とうせい》の英雄として記紀神話にその名を残す**ヤマトタケルノミコト**

（日本武尊）に行く手を切り開く力を与えるためだった。

ヤマトタケルは、皇位継承権を有する景行天皇の三人の御子のひとりでありながら粗暴ゆえに父に疎《うと》まれ、古《いにしえ》のスサノオノミコトさながらに生まれ故郷の大和《やまと》の地から追放される形で、政《まつりごと》の表舞台より遠ざけられていた。

九州から東国《とうごく》に至るまで各地を転戦し、都へ戻ることの叶《かな》わぬ身となった若き御子を陰から支援したのは、叔母で伊勢神宮の斎宮を務めるヤマトヒメ（倭比売命）だった。

朝廷に従わぬクマソタケル（熊襲建）兄弟の討伐で九州へ遣わされたときは、女装して敵を欺《あざむ》く道具として自分の衣裳を与え、休む間もなく東国へ向かわされる甥のためにと禁忌《きんき》を犯してまで天叢雲剣を持ち出し、火打ち石とともに授けている。

その神剣と火打ち石が絶大な力を発揮したのは、駿河国《するがのくに》へ赴《おもむ》いた折に国造《くにのみやつこ》の陰謀で無人の原へと誘い出されたときのことだった。国造というのは朝廷より任じられる地方官だが、官僚である以前に駿河を支配する在地豪族《ごうぞく》の首長《しゅちょう》として権益を守るべく、自分を討ちに来たヤマトタケルの先手を打とうと決意したのだ。

野原に放火して自分を焼き殺そうとした国造の策に対し、ヤマトタケルはすかさず抜いた剣で周囲の草を薙《な》ぎ、火打ち石で向かい火を放った。炎に炎で対抗して危地を脱すると、国造一味を殲滅《せんめつ》。死骸を残らず焼き捨てる。ちなみに、焼津《やいづ》の地名はこの故事にちなんでいるという。

そして、英雄の危機を救った天叢雲剣は草薙剣と称されるに至った。

神話と史実の接点

天叢雲剣改め草薙剣は、延焼を防ぐために草を薙ぎ払う奇策にだけ用いられたわけではない。駿河で倒した国造一味のみならず、朝廷に逆らう数々の豪族の命を東征先の各地にて奪っている。

九州に駿河、さらに東国各地の有力豪族を次々に攻め滅ぼしたヤマトタケルの行動は、肩書きこそなくとも、奈良〜平安時代に征隼人持節大将軍《せいはやとじせつたいしょうぐん》、征夷大将軍《せいいたいしょうぐん》などの官職に任じられて諸国へ派遣された朝廷の武官そのものである。

記紀神話には、神代の伝承だけではなく、編纂当時の事象が反映された。ヤマトタケルの豪族討伐行にしても例外ではない。実際に朝廷が兵を派遣した各地域を神話世界のなかで踏破させることにより、リアルタイムで断行されていた数々の西征・東征を正当化しているのだ。

また、まさか実用に供《きよう》されるはずもない神剣が伊勢神宮より持ち出され、猛《たけ》き英雄の愛刀として行使されたという記述は、皇太子の権利を剥奪《はくだつ》されながらも朝廷の権威を諸国へ行き渡らせるべく邁進《まいしん》した一代の英雄に揺るぎない権威を背負わせたい、という思惑ゆえだったといえるだろう。

神璽たる草薙剣を討伐行に携えることにより、ヤマトタケルは天皇家の権威を守護する伊勢神宮の霊威を得た。しかし、それはあくまでもヤマトヒメ一個人の手で秘密裏にもたらされた非公式な貸与であった。

発端は女性から男性への好意だったとしても、実の肉親であるのにも増して、生涯を未婚のまま過ごすことが大前提の斎宮はいわば神の妻であり、決して生身《なまみ》の男性とは交《まじ》われぬ立場だった。そのヤマトヒメが授けた神剣は、あくまでもかりそめのものでしかなかったのだ。

皇位を継承したわけではなく、正式な大和朝廷の使者としてでもない不安定な立場のまま、ヤマトタケルは幾多の朝敵《ちょうてき》を討伐する。

だが、生身の人間だけでなく山海の荒ぶる神々にも仮託された諸国の豪族、つまり朝廷の支配に従おうとしなかった先住民をどれほど草薙剣を振るって攻め滅ぼしたところで、追放者から皇位継承者への復権にはつながらなかった。

征服の対象とされた人々の身になれば、ヤマトタケルは英雄どころか悪しき侵略者の走狗《そうく》に他ならないだろう。とはいえ、果てることのない旅の空の下で神剣を手放した隙に伊吹山《いぶきやま》（岐阜・滋賀県境の山）の神の邪気を蒙《こうむ》って力尽き、魂魄《こんぱく》を白鳥に変えることでしか大和へ帰れなかった最期を思えば、悲しみを禁じ得ない。

大刀契《だいとけい》と壺切御剣《つぼきりのみつるぎ》　天皇と皇位継承者のあかしとして

第四の神器

三種《さんしゆ》の神器《じんぎ》に次ぐ存在、いわば第四の神器といわれる大刀契は、平安時代初期の**平城天皇**《へいぜい》（在位八〇六〜〇九）の御代《みよ》から践祚《せんそ》、すなわち即位《そくい》の儀《ぎ》に取り入れられた。

現代の践祚では剣璽《けんじ》として草薙剣《くさなぎのつるぎ》の代用品が用いられるのみだが、南北朝時代までは、新天皇が即位するたびに先帝より大刀契が本物の草薙剣とともに伝授され、ふだんは専用の大刀櫃《たちびつ》に納められていたという。

ところで、歴代天皇の所蔵した御剣《ぎよけん》は、すべての時代において厳重に管理されていたわけではない。たとえば、守り刀として日中は清涼殿《せいりようでん》内の昼御座《ひのおまし》（執務室）、退出後は夜御殿《よるのおとど》（寝室）に置かれた昼御座御剣《ひのおましのみつるぎ》は、承暦《じようりやく》四年（一〇八〇）から暦仁《りやくにん》元年（一二三八）に至るまで、幾度も紛失したり破損する災禍に見舞われている。

草薙剣、そして大刀契が即位の儀に不可欠な存在だったのに対し、この昼御座御剣は天皇や皇太子が護身のため個人的に所有するものである。唯一無二と位置づけられたわけではなく、即位すれば新しい一振《ふ》りが用意された。紛失したときには先帝の遺品に替えたり、然《しか》るべき太刀《たち》が代用品として献上されることで事なきを得た。

もちろん、御自《おんみずか》ら持ち歩くわけではない。各御殿から出御《しゅつぎょ》して移動されるときは常に側近が捧持《ほうじ》し、玉座《ぎょくざ》の傍らや枕許《まくらもと》まで運ばれたのだが、神剣と位置づけられた草薙剣や大刀契に比べると警備も行き届かず、暦仁元年以降に管理が徹底されるまでは、宮中の不敬者に盗み出されたり、闖入《ちんにゅう》した子供や犬にいたずらされるといった不測の事態がたびたび生じたのである。

一方の大刀契は、まさに神聖にして冒すべからざる神剣だった。

桓武《かんむ》天皇（在位七八一〜八〇六）の意向のもと、平城天皇に初めて伝授された第四の神器については朝鮮半島との関連性も指摘されている。正確な時期は定かではないが、わが国の鍛刀《たんとう》技術が確立される以前に百済《くだら》よりもたらされ、南北朝の動乱で朝廷が分裂してしまうまで、草薙剣に次いで天皇家の権威を象徴する宝剣と定められていたのだけは歴史的な事実といえるだろう。

天皇の座を約束する剛剣

先に触れたように、天皇に限らず皇太子も護身のために専用の剣を所有していた。これは個人の所有物で、天皇となったときに新調する昼御座御剣をたとえ紛失・破損しても、即位前に愛用した一振りに急遽《きゅうきょ》取り替えることが可能だった。ちなみに現代では、剣や太刀ではなく、白鞘《しらさや》の短刀《たんとう》が御生誕と同時に催される贈剣《ぞうけん》の儀で授けられている。

一方、天皇家の長男が成長して正式に皇太子となる立太子《りったいし》の儀にて伝授される壺切御剣は、大刀契と同様に揺るぎない権威の程を世に示す一振りだ。

当初は斬壺剣《きりつぼのつるぎ》と称され、歴代天皇の御剣の一振りだった壺切御剣が次期天皇のあかしとなったのは、寛平《かんぴょう》五年（八九三）四月三日、**醍醐《だいご》天皇**（在位八九七～九三〇）の立太子の儀からである。

斬壺剣・壺切御剣という新旧の呼称は、文字通り壺を斬った故事に基づくと見なされる。伝説の主《ぬし》が献上に及ぶ前の所有者か、それとも歴代天皇のひとりなのかは定かでないが、戦国乱世の剣聖《けんせい》・伊藤一刀斎景久《いとういっとうさいかげひさ》（一五五〇〜？）が為したという至難の業《わざ》を可能とした一振りならば、よほどの剛剣だったに違いあるまい。

斬れなくなった宝剣

現在に至るまで立太子の儀に欠かせない壺切御剣、実は二代目である。

醍醐天皇から受け継がれてきた初代は、康平《こうへい》二年（一〇五九）の正月八日に内裏《だいり》の火災で失われ、摂関家《せっかんけ》を統《す》べる藤原教通《ふじわらののりみち》より新たに献上された一振りに替えられた。

しかし同年の十二月十一日、不幸にして内裏は再び炎上する。

幸いにも刀身は焼け残ったが、草創期の鎌倉幕府と対立した後鳥羽《ごとば》天皇（在位一一八三〜九八）譲位後の院政の御代《みよ》に、承久《じょうきゅう》の乱（一二二一）の騒動で行方不明になる。代わりの一振りが用意されたが、亀山《かめやま》天皇（在位一二五九〜七四）の立太子のときになって発見され、晴れて二代目壺切御剣は旧に復した。時が流れて江戸時代初期、三たび火災に見舞われるも拵《こしらえ》が失われたのみにとどまり、現在に至っている。

これほど受難続きでありながら現存しているのは、まさに天皇家の権威を象徴する宝剣ならではの霊験というべきだが、武用刀《ぶようとう》としての機能は完全に失われていると見なさざるを得ないだろう。二代目が初代のように壺を斬り割るほどの剛剣だったか否かはともかく、修復に修復を重ねた刀身では実用に供《きよう》するのは無理だからだ。

とはいえ、もとより血腥《ちなまぐさ》い闘争用の武器ではなく、健《すこ》やかに成長した皇位継承者の立場を確定させるステイタスシンボルである以上、無下《むげ》に臣下《しんか》の命を奪うことのない不殺《ふさつ》の剣であることが、むしろ価値を高めているのではないだろうか。

この二代目壺切御剣は当然ながら非公開だが、刃長《じんちよう》は二尺五分《しやくぶ》(約六一・五センチメートル)、もしくは二尺二寸《すん》五分(約六七・五センチメートル)と二つの説が存在する。無反《むぞ》りの直刀《ちよくとう》ということから、太刀が登場する以前、平安時代中期の作とも考えられるが、無銘《むめい》のため作刀者《さくとうしや》は不明である。

どの刀工《とうこう》の作なのかを押さえるうえで刀身の姿とともに有力な手がかりとなる刃文《はもん》は、昔日《せきじつ》に焼けたまま完全には復元されていない。伝承によると平安時代に備前国《びぜんのくに》で台頭した古備前派《こびぜんは》のひとり、延房《のぶふさ》の作だという。

七星剣《しちせいけん》と丙子椒林剣《へいししょうりんけん》　かの聖徳太子《しょうとくたいし》の遺愛刀《いあいとう》

（口絵1）

名刀に息づく大陸の息吹

六世紀末、中国大陸に成立した隋《ずい》王朝が強大な統一王朝となったのに伴い、近隣の東アジア諸国は隋との協調を図りつつ自国の独立性を守るため、早急に中央集権体制を確立する必要に迫られた。

むろん、日本も例外ではない。

国際情勢が緊迫するなか、聖徳太子こと**厩戸皇子**《うまやとのおうじ》（五七四〜六二二）は、わが国最初の女帝となった推古《すいこ》天皇（在位五九二〜六二八）を補佐し、わが国最初の官僚制度である冠位十二階《かんいじゅうにかい》の制を、そして官僚の服務規程である憲法十七条《じゅうしちじょう》を制定。対外的にも見劣りのしない政治の基礎を固めるとともに、遣隋使《けんずいし》の派遣を開始することによって大和朝廷の中央集権化と日本の国際化に多大な貢献を果たした一代の名君だ。

その愛刀と伝えられる二振《ふ》りの大刀《たち》が、太子の発願《ほつがん》で五九三年に建立《こんりゅう》された大阪の名刹《めいさつ》・四天王寺《してんのうじ》に収蔵されている。

その名も、七星剣と丙子椒林剣。いずれも飛鳥《あすか》・白鳳《はくほう》時代（七世紀）の作と伝えられる現国宝である。

鎌倉時代から太子の御剣《ぎょけん》と伝承される二振りの刀身には、それぞれの呼称の由来となった装飾が為されている。

七星剣は刀身の表裏に二筋の樋《ひ》が掻《か》かれており、その樋のなかに中国より伝来した星宿《せいしゅく》（星座）信仰を象徴する複数の紋様が金象嵌《きんぞうがん》で施されている。

古代〜中世の大刀および太刀《たち》は、近世の刀（打刀《うちがたな》）とは異なり、刃を下向きにして左腰に吊《つ》って（佩《は》いて）携行する。このとき外側に来る面を佩表《はきおもて》、内側すなわち腰に当たる面を佩裏《はきうら》と呼ぶが、七星剣の佩表には雲形文、七星文、三星文があり、佩裏に雲形文と七星文が、さらに鍔元《つばもと》には竜頭が見られる。一方の丙子椒林剣には、鍔元近くの佩裏に金象嵌で「丙子椒林」の銘《めい》があり、それがそのまま呼称とされている。

二振りのうちでもとりわけ外来の文化と信仰が反映された七星剣は、国際化と仏教の普及に貢献した太子が佩用《はいよう》するにふさわしく思える。

最初期の刀身装飾である七星剣の金象嵌は、六〇〇年の第一次遣隋使に象徴される大陸との交流活性化の賜物《たまもの》に他ならない。古《いにしえ》の華やかな異国文化を偲《しの》ばせる七星剣は、当時の大陸との文化交流を再現した四天王寺ワッソの祭典で知られる名刹にふさわしい、飛鳥・白鳳時代の名刀の代表格といえるだろう。

蘇我《そが》の血の結晶

用明《ようめい》天皇（在位五八五〜八七）を父に持つ太子は、本来ならば皇位を継承して然《しか》るべき立場である。にもかかわらず叔母の額田部皇女《ぬかたべのひめみこ》が即位して推古帝となるに至ったのは、政《まつりごと》の実権を握る蘇我馬子《うまこ》の思惑ゆえのことだった。

太子の両親である用明帝と后《きさき》の穴穂部《あなほべ》皇女は、ともに蘇我氏の血を継いでいる。

馬子の父で蘇我氏を興した稲目《いなめ》が二人の娘を欽明《きんめい》天皇（在位五三九〜七一）に嫁がせ、蘇我堅塩媛《きたしひめ》から生まれた男子が新たな帝に、蘇我小姉君《おあねのきみ》から生まれた女子が皇妃になり、誕生したのが太子だった。天皇の御子《みこ》でありながら蘇我の血の結晶といわれる所以《ゆえん》である。

そして推古天皇となった額田部皇女もまた、欽明天皇と堅塩媛の間に生まれた蘇我の血族だった。父の後を継いで蘇我氏の当主となった馬子は、姪に当たる彼女を天皇の地位に就けると同時に、太子には政の実務を担わせ、自らは大臣となることで蘇我一族の三者による政治体制を構築することを目指したのだ。

むろん、敵対勢力を一掃したうえでの人事である。

蘇我稲目・馬子の政敵は、朝廷の武官を代々務めてきた物部《もののべ》氏だった。

六世紀前半に伝来した仏教を積極的に受け入れた崇仏《すうぶつ》派の蘇我氏に対し、物部氏は廃仏《はいぶつ》派となって激しく争った。そして、稲目の没後に蘇我氏を率いた馬子は、王族や諸国の豪族をまとめて挙兵。物部氏の新当主である守屋《もりや》を滅ぼすことにより、二世代にわたる抗争に終止符を打っている。代々の武官として勇名を誇った強者《つわもの》の物部氏を滅亡させたことにより、蘇我氏は絶対の存在となるに至ったのだ。

聖人君子にふさわしい一振り

ところで、物部氏が滅亡した五八七年当時に数えで十四歳だった太子も、物部氏との合戦に参加している。仏教の普及に尽力した聖人君子として名高い太子にも、若き日には合戦場に赴《おもむ》いたことがあったのだ。蘇我一族の体面を守るためというよりも、寺を破壊し、僧や尼僧を虐待してはばからなかった物部氏が相手であればこそ、己《おのれ》の信じる正義のために参戦にも踏み切れたといえよう。

しかし、その折に用いたはずの甲《こう》（鎧《よろい》）や冑《かぶと》（兜）、当時から合戦の主武器だった弓や長柄《ながえ》武器の鉾《ほこ》は、一切現存していない。今日まで伝えられているのは、七星剣と丙子椒林剣だけである。

二振りの大刀が作られたのは七世紀。伝承されている通りだとすれば、太子が政治家として生きた後半生の愛刀ということになる。

七星剣は全長が実測六二・二センチメートル、丙子椒林剣は約六五・八センチメートルと、実戦用の大刀の標準が全長八〇センチ・刀身七〇センチだったのに比べると、遥かに短い。まして、首長クラスの王族や豪族が権威を高めるために所持した、全長が一〇〇〜一二七センチメートル級のものとは比べるべくもないだろう。

華美な刀身装飾はともかく、栄華を誇った蘇我一族の「血の結晶」らしからぬ、誠に慎《つつ》ましいたたずまいである。

天皇直系の男子でありながら、太子は皇位を継ぐことなく生涯を終えた。子供たちの世代になって勃発し、大化《たいか》の改新《かいしん》（六四五）へと至った宮廷内の権力闘争に巻き込まれることもないままに、聖人君子として天命を全うしたのだ。

その遺愛刀となった七星剣と丙子椒林剣は、純然たる武具にも、権威の象徴にも似つかわしくない。

聖徳太子の生涯に思いを馳《は》せるとき、この慎ましやかでありながら美しい二振りの名刀は、わが国の国際化と仏教の普及に一生を捧げた名君の在《あ》りし日の姿を象徴しているかのように見えてくる。

節刀《せっとう》　徳川幕府瓦解《がかい》の舞台裏に名刀あり

かりそめの権力を宿す刀

平安時代中期に武士が貴族の傭兵《ようへい》として台頭するよりも遥か以前、朝廷では物部氏《もののべ》などの武官が直属の戦闘集団となっていた。貴族の身でありながら指揮官として兵を統《す》べる能力に長《た》けており、一個人としての戦技も優れた武官たちは、天皇の権威のもとに諸国へと放たれ、朝廷に従わない現地勢力を征討《せいとう》する役目を担った。

彼ら武官に権力委任のあかしとして与えられたのが〝節刀〟である。

最初に節刀を授かった武官は、継体《けいたい》天皇二一〜二二年（五二七〜二八）に磐井《いわい》の乱を鎮圧した**物部麁鹿火**《もののべのあらかび》（生没年不詳）だ。当時の朝廷と敵対していた朝鮮半島の新羅《しらぎ》と通じ、北九州の豪族を束ねて蜂起《ほうき》した筑紫国《つくしのくに》の国造《くにのみやつこ》・磐井一族を追討する勅命《ちょくめい》と併せて、麁鹿火は天皇より一振《ふ》りの剣を賜《たまわ》っている。

以来、征夷大将軍《せいいたいしょうぐん》などの武官が勅命を奉じたときに下賜《かし》されるのが定例となった剣は節刀と称され、天皇による権力委任のあかしとして、幕末に至るまで効力を発揮した。

奈良～平安時代には東北に征夷大将軍、九州に征隼人持節大将軍《せいはやとじせつ》がそれぞれ派遣されているが、彼らは節刀を持つ者という意味から「持節将軍」とも呼ばれた。

また、朝廷に反旗を翻《ひるがえ》した者を討つ武官だけではなく、勅命を奉じて遣唐使《けんとうし》を率いる押使《おうし》にも、全権を与えられた証明として節刀が授けられている。律令制《りつりょうせい》のもと、天皇の大権《たいけん》には治安を維持するために刑罰を科す権利も含まれており、遠い異国への道中で発生した事件を裁き、同行する人々の安全を守るために、押使には天皇の大権の代行者たるあかしが与えられたのである。

ちなみに、武官も遣唐押使も、節刀は任を果たして帰参したときに必ず返却することが前提だった。むろん、長い合戦や航海に携行するとなれば、たとえ実用に供《きょう》されることがなくても損耗・破損は避けられなかったであろうが、美観を保っているか否かは関係あるまい。

天皇より委任される権力はあくまでも一時的なものであり、勅命の遂行に必要な力を私《わたくし》することが許されないとなれば、権力委任のあかしである節刀が貸与品でなくてはならなかったのも頷《うなず》ける。

「攘《じょう》夷《い》の節刀」をめぐるかけひき

天皇の権威のもとに行動するときにのみ携行が許される節刀は、勅命を奉じた者のステイタスシンボルである。つまり、ひとたび受け取ってしまえば天皇の命令に従わなくてはならないのだ。かかる節刀の性格を利用し、諸外国との抗戦を回避し続けた徳川幕府に攘夷を決行させようとしたのが、幕末の朝廷だった。

文久三年《ぶんきゅう》（一八六三）を迎えた京の都《みやこ》では、長州藩《ちょうしゅうはん》と尊王攘夷《そんのうじょうい》派の公家《くげ》が前年より結託して朝廷内の主導権を握ったことから、とみに攘夷の決行と鎖国《さこく》への復帰の気運が高まっていた。

時の孝明《こうめい》天皇（在位一八四六〜六六）は御自《おんみずか》らも徹底した外国嫌いだったため、折しも上洛《じょうらく》した十四代将軍の家茂《いえもち》に攘夷決行の勅命と併せて節刀を授け、幕府に攘夷を遂行させようとしていた。

この動きを察知したのが、補佐役として家茂の上洛に同行した一橋慶喜《ひとつばしよしのぶ》（一八三七～一九一三）、後の十五代将軍である。

攘夷の節刀を授かってしまえば、望むと望まざるとにかかわらず、和親・通商条約を無視してでも諸外国と砲火を交えなくてはならなくなる。征夷大将軍が朝廷に仕える立場である以上、一振《ふ》りの節刀に象徴される天皇の権力は、徳川将軍家といえどもゆめゆめ無視できるものではないのだ。

江戸城中にあっては御上《おかみ》と崇《あが》め奉られる将軍も、単身で天皇に拝謁《はいえつ》するときは一介の武官に過ぎない。実力で天下を取った徳川一族の末裔であり、永らく日《ひ》の本《もと》の実権を握ってきた徳川幕府の長《おさ》とはいえ、天皇と尊王攘夷派の公家たちに囲まれて直《じか》に攘夷を迫られれば、否とはいえまい。

そこで慶喜は、家茂が征夷大将軍として宮中へ参内《さんだい》させられ、節刀を押しつけられるのを徹底して避けた。同年の四月十日、孝明天皇の石清水八幡宮《いわしみずはちまんぐう》への行幸《ぎょうこう》に供奉《ぐぶ》することを命じられた家茂が風邪を理由に辞退したのは、社前《しゃぜん》にて攘夷の節刀を授けようとした尊攘派の計画に慶喜が気づいたためといわれている。

錦《にしき》の御旗《みはた》と「倒幕の節刀」

かくして節刀の授与をめぐる陰謀は回避されたが、徳川の権威も五年後の鳥羽伏見《とばふしみ》の戦いでついに凋落《ちょうらく》するに至る。

幕府軍が薩摩《さつま》・長州連合軍の前に敗退した慶応《けいおう》四年（一八六八）一月三日、深夜の朝廷で**東伏見宮嘉彰親王**《ひがしふしみのみやよしあきらしんのう》（一八四六～一九〇三）は軍事総裁に任命された。翌日早々に親王は征討大将軍に任じられ、幕府を討伐する権力委任のあかしとして、錦の御旗とともに節刀を下賜されるに至った。

巷間《こうかん》いわれているように、ありふれた錦地で作られた一旒《りゅう》の旗、そして一振りの剣そのものは単なる道具に過ぎなかったのだろう。

しかし、大小二つの道具には、幕府を賊軍と位置づけ討伐の対象とする正当な権利を握った朝廷の、ひいては天皇家の、揺るぎない権威が込められていた。倒幕の節刀を護持《ごじ》した嘉彰親王は、鳥羽伏見の戦いを経て北越《ほくえつ》に進軍し、幕府に与《くみ》する諸藩の鎮《ちん》定《てい》に当たっている。

官軍《かんぐん》の主力となり、直に徳川将軍家と幕府に引導を渡したのはもちろん薩長《さっちょう》を始めとする雄藩《ゆうはん》の面々であるが、かつては征夷大将軍に授けられるのが常だった節刀が逆に将軍を追い込む立場の者のステイタスシンボルとなり、錦の御旗が幕府の残存勢力を鎮圧する旗印になったのは、なんとも皮肉な話である。

とはいえ、もしも家茂が石清水八幡宮で攘夷の節刀を奉授《ほうじゅ》していれば、徳川幕府は諸外国との無謀な戦いを強いられて、政治生命を自ら縮めるに至ったことだろう。

いずれにしても幕府の滅亡は避けられなかったに違いあるまいが、勅命を奉じて征討を遂行する者とされる者の明暗を分けたのが一振りの剣だったという歴史的事実を前にして、感慨を覚えずにはいられない。

源平の名刀

平安時代後期に源氏と平家の二大武士団が激突した源平争乱は、政治権力の担い手が貴族から武士へ移り変わる直接の契機となった、わが国の歴史のなかでも特筆すべきエポック・メーキングな事件といえるだろう。

平安時代中期に台頭した当初の武士は、クライアントである貴族の意を受けて敵対勢力を掃討するために働く、いわば傭兵だった。その傭兵から身を起こして、対立する源義朝《みなもとのよしとも》を討って権力の座に就《つ》いたのが平清盛《たいらのきよもり》であり、平家一門を滅亡させて鎌倉幕府を樹立したのが源頼朝《よりとも》だった。

源氏には鬼切《おにきり》と蜘蛛切《くもぎり》、平家には小烏丸《こがらすまる》と、それぞれ天皇の末裔《まつえい》のあかしとなる宝剣が代々伝えられ、また、各時代に活躍した歴代の猛者《もさ》たちにゆかりの名刀も存在した。

最初期の武士であると同時に、貴族とのパワーバランスを逆転させた源氏と平家にまつわる名刀伝説の虚と実、明と暗を解き明かしつつ、以下に紹介していこう。

童子切安綱《どうじぎりやすつな》　酒呑童子《しゅてんどうじ》の首が飛ぶ

（口絵1）

鬼の人さらい

中世～戦国乱世の名刀には、さまざまな異名《いみょう》が冠《かん》せられているケースが多い。現国宝に、わが国最古の刀工といわれる大原安綱《おおはらやすつな》作の太刀《たち》で、童子切の異名を持つ一振《ふ》りが存在する。

刃長《じんちょう》八〇・〇センチメートル。反《そ》り二・七センチメートル。

江戸時代に城勤めの武士の佩刀《はいとう》の標準値（定寸《じょうすん》）とされた二尺《しゃく》三寸《すん》～三寸五分《ぶ》（約六九～七〇・五センチメートル）よりも遥かに長い、堂々たる剛剣である。

その名は童子切安綱。禍々《まがまが》しい響きの異名は、京の都に近い丹波《たんば》・大江山《おおえやま》に棲《す》んでいたと伝えられる鬼の頭目《とうもく》・酒呑童子の首を打った故事から生まれたものだ。

時は平安時代中期、一条《いちじょう》天皇（在位九八六～一〇一一）の御代《みよ》。洛中《らくちゅう》で美しい娘を狙っての人さらいが続発し、ついに池田《いけだ》中《ちゆう》納言《なごん》の愛娘《まなむすめ》が標的にされた。陰陽師《おんみようじ》の安倍晴明《あべのせいめい》が判じたところ、下手人は大江山の酒呑童子とわかる。事態を重く見た帝《みかど》は勅令を発し、武士団の長《おさ》である**源 頼光**《みなもとのよりみつ》（九四八～一〇二一）に討伐を命じた。

頼光は摂津《せつつ》を拠点とする源満仲《みつなか》（清和《せいわ》天皇の曽孫）の嫡男《ちやくなん》であり、当代随一《とうだいずいいち》の武士と謳《うた》われた男だった。摂関《せつかん》家の庇護《ひご》のもとに台頭した清和源氏の一門は、有事となれば朝廷のために弓を取る身だ。勅令を奉じた頼光は、渡辺綱《わたなべのつな》、坂田金時《さかたのきんとき》、平貞道《たいらのさだみち》、平季武《すえたけ》の四天王、さらには藤原保昌《ふじわらのやすまさ》と一族郎党《ろうとう》を引き連れて大江山へと向かった。

山伏《やまぶし》を装い、甲冑を葛籠《つづら》に隠し持った頼光一党は酒呑童子の居館《きよかん》に潜入し、人には無害で鬼には猛毒の神便鬼毒酒《じんべんきどくしゆ》を勧めて、酒呑童子を酩酊《めいてい》させることに成功する。用意の鉄鎖《てつさ》を眠り込んだ隙に巻きつけ、動きを封じたうえで、頼光は安綱作の太刀を一閃《いつせん》。巨大な鬼の首を打ち落とすのだった。

伝承によって細部に微妙な違いがあるが、能《のう》『大江山』に集約された鬼退治の顚末《てんまつ》は、頼光が自ら太刀を振るって酒呑童子を討ち果たし、都へ凱旋《がいせん》する場面を以《もつ》てクライマックスとする。実際に討たれたのは鬼ではなく、都の安寧《あんねい》を乱す山賊だったとも伝えられるが、源氏一門が名を高める礎《いしずえ》を築いた立て役者としての頼光を讃《たた》える英《えい》雄譚《ゆうたん》であり、朝廷に仕えた武士団の強さが誇示されている点に変わりはない。

初期の源氏一門を支えた英雄の愛刀とは、いかなる一振りだったのだろうか。

日本最古の刀工のワザ

酒呑童子伝説の背景となった平安時代は、日本刀のプロトタイプというべき太刀が作られ始めた時期でもある。

童子切安綱を作刀した大原安綱は、平安時代初期の大同《だいどう》年間（八〇六〜一〇）を中心に活躍した伯耆国《ほうきのくに》の名工で、個人名が確認されているなかでは、わが国最古の刀工とされている。安綱を始祖《しそ》とする大原一門は息子の真守《さねもり》の代以降も栄え、彼らが拠点とした伯耆国は刀の原材料となる良質な鉄が採れる土地柄でもあったことから、刀剣の名産地として広く世に知られるに至った。

安綱の作刀には、日本刀の草創期における製作法の名残が色濃く見られる。

刀身の横腹の部分に浮かぶ模様（地肌《ちはだ》）は、刃文《はもん》ともども、作刀者の個性と創意工夫ぶりを示すポイントだが、安綱作の太刀の地肌は大きく荒いループ状にうねる大板《おおいた》目肌《めはだ》が特徴。この大板目肌は東北で栄えた刀工集団・舞草《もうぐさ》鍛冶が得意な綾杉肌《あやすぎはだ》の変形だったため、両者の関連性が指摘される（地肌については212ページ参照）。

そして、上品な太刀姿と華々しい刃文に加えて、武用刀としての真価も見逃せない。江戸時代に至り、元禄《げんろく》年間（一六八八〜一七〇四）に童子切安綱が試し切りに供《きょう》されて凄まじい切れ味を発揮したという記録がある。往時の試し切りは現代のような巻藁《まきわら》や畳表《たたみおもて》を巻いたものではなく、処刑された罪人の亡骸《なきがら》を対象に行われた。残酷な話だが、斬首《さんしゅ》に処された罪人を土壇《どだん》と称する台に載せ、部位別に切断することで切れ味を試したのだ。津山《つやま》十万石・作州松平《さくしゅうまつだいら》家に秘蔵されていた童子切安綱は、実に六体を重ねて断ち割ったのみならず、下の土壇まで刃が達したという。

刀の視点で読む名刀伝説

刀剣に着目して一連の酒呑童子伝説を見直したとき、興味深く感じられるのは、頼光が自ら太刀を振るい、童子の首を打っている点だ。

この時代、刀剣は武士の主武器ではなかった。時代が下って鎌倉幕府が樹立されてから「弓矢取る身」「弓馬《きゅうば》の道」と呼ばれたことからもわかるように、武士は弓術と馬術のプロフェッショナルであり、剣術は室町〜戦国時代までは体系化されていない。刀剣が近接戦闘のとき、それも長柄《ながえ》武器の薙刀《なぎなた》を失った緊急時にのみ用いられる補助武器に過ぎなかったのは、武士団が登場する各種の絵巻物からも明らかだ。それなのに、なぜ頼光は太刀を用いたのだろうか。

合戦の勝敗は敵将の首級《しるし》を挙げることで決まる。

ふつう、首取りには太刀に添えて差す短刀が使用される。鎧《よろい》を着込んで動きが制限されていても一挙動で抜ける短刀でなくては、いつ自分が隙を突かれ首を掻《か》かれるかわからない合戦場では用を為さないからだ。平安時代の短刀は刀子《とうす》と呼ばれる二五センチメートル前後のものだが、後世に鎧武者の標準装備となった馬手《めて》（右手）差《さし》や鎧通《よろいどお》しと同様に、討ち取った敵の首を掻き落とすときに用いられていた。

しかし、相手が身長三メートルの化け物では、いかに絶命させた後とはいえ一振りの短刀で首が取れるはずもない。だからといって配下たちに手伝わせ、鮪《まぐろ》を解体するかのごとく薙刀でゴリゴリやらせては、大将たる者の威厳にかかわる。大ぶりで切れ味鋭い安綱作の太刀を用いればこそ、鬼退治の証拠としての首取りも可能だったのだ。

頼光は自ら酒呑童子の首を打つことによって鬼退治の英雄となり、源氏の棟梁《とうりょう》として大いに面目を施《ほどこ》した。つまり、童子切安綱は英雄を生んだ名刀といえよう。

清和源氏の名を高めた伝説の剛剣は、後に足利《あしかが》幕府の重宝《じゅうほう》となり、戦国乱世には織田信長《おだのぶなが》、豊臣秀吉《とよとみひでよし》、徳川家康《とくがわいえやす》と、歴代の天下人のもとを変遷《へんせん》した。家康の死後は、徳川二代将軍の秀忠《ひでただ》より松平忠直《まつだいらただなお》（家康の孫）・勝姫《かつひめ》（秀忠の三女）の夫婦に譲られ、越後高田藩《えちごたかだはん》から作州津山藩への国替《くにが》え後も松平家に代々秘蔵された後、国宝として現在に至る。

鬼切《おにきり》　茨木童子《いばらきどうじ》は腕が飛ぶ

第二の鬼退治伝説

平安時代中期に台頭した清和《せいわ》源氏の棟梁《とうりよう》・源頼光《みなもとのよりみつ》の腹心で、四天王と謳《うた》われた**渡辺綱《わたなべのつな》**（九五三〜一〇二五）は、大江山《おおえやま》の酒呑童子《しゆてんどうじ》退治にも登場する強者《つわもの》だ。

酒呑童子の首を打った頼光ばかりがクローズアップされがちだが、剛力無双の坂田《さかたの》金時《きんとき》（おとぎ話に出てくる「金太郎」の成人後の名前）をも凌《しの》ぐ「四天王の随一《ずいいち》」として大江山まで随行《ずいこう》し、主君を助けて活躍した渡辺綱の存在は見逃せない。

綱は源氏の生まれで、源氏一門の先代棟梁・源満仲《みつなか》の娘婿に当たる敦《あつし》の養子でもあった。武者としての力量に加え、現棟梁の頼光と親戚だった点も、配下にあって手厚く遇《ぐう》されたことと無関係ではないだろう。

この渡辺綱については、単独で鬼と渡り合った逸話が存在する。

屋代本《やしろぼん》『平家物語』の剣巻《つるぎのまき》が伝える、もうひとつの鬼退治伝説は、「一条大宮《いちじようおおみや》なる所に、頼光聊《いささ》か用事ありければ、綱を使者に遣《つか》はさる。夜陰《やいん》に及びければ髭切《ひげきり》を帯《は》（佩）かせ、馬に乗せてぞ遣はしける（一条大宮へ所用で渡辺綱を使いに出した源頼光は、帰りが夜半になるのを心配して、用心のために髭切という太刀《たち》と馬を貸し与えた）」

という一節から始まる。

戻りが深夜となれば帰路が危険であろうと綱の身を案じ、頼光が貸し与えた太刀は、髭切の異名を持つ刃長《じんちよう》二尺《しやく》七寸《すん》（約八一センチメートル）の堂々たる宝剣だった。

天駆ける武者の抜刀《ばつとう》

主君の用事を果たした綱は、ひとり帰途に就《つ》く。

その途上、一条堀川《いちじようほりかわ》の戻橋《もどりばし》で行き合わせたのは、

「齢《とし》二十余りと見えたる女の、膚《はだ》は雪の如《ごと》くにて、誠に姿幽《かすか》なりける（もの寂しいたたずまいの）」

佳人《かじん》だった。夜が更けて怖い、用向きのある五条《ごじょう》まで送ってもらいたいとしきりに頼まれた綱は快諾し、見知らぬ女性に鞍《くら》を明け渡す。さほど進まぬうちに、実は五条には用はない、洛外《らくがい》の住まいまでお送り願いたいのですが……と甘えられても、

「承り候《そうら》ひぬ。何《いず》く迄も御座《ござ》す所へ送り進《はべ》らせ候ふべし（承知しました。どこまでも、お住まいのところまでお送りいたしましょう）」

と即答し、鷹揚《おうよう》な態度を崩さない。

ところが、佳人の誘惑は恐るべき罠であった。突如として怪異な正体を現したのは、愛宕山《あたごやま》に棲《す》む茨木童子という鬼だったのだ。

この茨木童子は、嵯峨《さが》天皇（在位八〇九〜一二三）の御代《みよ》、恋の嫉妬に狂った公卿《くぎょう》の娘が自ら望んで貴船明神《きぶねみようじん》の霊威を受け、宇治《うじ》の河瀬《かわせ》に三七日《さんしちにち》（二十一日間）漬かった末に醜く変化《へんげ》した姿であった。裏切った男を親類縁者まで喰い殺したのみならず、百余年を経た今もなお、夜毎《よごと》に洛中《らくちゆう》の人々をさらっては毒牙にかけ続けていた。

色白の美女から凶悪な面相に一変した鬼は、剛毛だらけの腕を馬上より伸ばし、綱のもとどり（髷《まげ》の結び目）をつかむや空に駆け昇り、愛宕山のある乾《いぬい》（北西）の方

角へ向けて飛翔する。

対する綱はと見れば、すでに両手を佩刀《はいとう》に掛けていた。

「少しも騒がず件《くだん》の髭切をさつと抜き」

手練《しゅれん》の一閃《いっせん》を振るって鬼の手を切断した綱は、北野天満宮《きたのてんまんぐう》の廻廊《かいろう》に落下して事なきを得た。綱のもとどりをつかんだまま断たれた腕を残し、茨木童子は為す術《すべ》もなく愛宕へと逃げ去ったのである。

太刀は、即座に抜き放つのが難しい。ぶらぶらしている鞘《さや》を持ち直す予備動作が必要だからだ。まして、天空高く浮かんでいる状態ともなればなおのこと、太刀の抜刀は至難の業《わざ》であろう。しかし百戦錬磨の綱は平常心を失うことなく、主君より貸し与えられた名刀の真価を見事に発揮してのけたのである。

綱の養母に化けて舞い戻り、切り落とされた腕を奪って遁走《とんそう》した鬼にとどめを刺すことまではさすがに叶《かな》わなかったものの、主君に劣らぬ剛勇ぶりを発揮した渡辺綱の名は広く世に知れ渡り、髭切の太刀は新たに鬼切と呼ばれるに至った。

源氏の宝剣、髭切と膝丸《ひざまる》

かくして鬼切と呼ばれるようになった髭切の太刀は、もとをただせば頼光の父・満仲の愛刀だ。先に引用した『平家物語』剣巻に曰《いわ》く、清和天皇（在位八五八〜七六）の曾孫に当たる満仲が、時の帝《みかど》より天下を守護する者となる旨の勅宣《ちよくせん》を受けた折、「天下守るべき者、好《よ》き太刀を持たでは如何《いかが》せん（優れた太刀を持たずにどうするか）」

という思《おぼ》し召《め》しのもとに鉄と鍛冶が集められたが、満仲が納得できる太刀はなかなか仕上がらず、ついに鉄細工に優れた異国人の鍛冶が筑前国《ちくぜんのくに》より招聘《しようへい》された。

遠い九州の地から都に招かれ、源氏の棟梁のために鍛刀に取り組むとなれば、この鍛冶が己の仕事にかつてない完成度を求めたのも当然だろう。

幾振《ふ》りもの失敗を繰り返した末、このままでは空しく京を去るしかないところまで追いつめられた鍛冶は、八幡宮《はちまんぐう》に参籠《さんろう》することを思い立つ。

「帰命頂礼《きみようちようらい》（仏に礼拝するときに唱える語）八幡大菩薩《だいぼさつ》、願はくば意に称《かな》ふ剣作り出《い》ださせてあたへ給《たま》へ（私に納得のいく太刀を作らせてください）」

と一心に祈願《きがん》し続けて満願《まんがん》の七日目を迎えた夜、鍛冶は夢のなかで、「汝《なんじ》（お前）が申す所不便《ふびん》（気の毒）なり。疾《と》く罷《まか》り出でて（早くこの宮を出て）六十日の際《きわ》（間）、鉄を鍛《きと》うて作れ。最上の剣二つ与ふべし」

なる神託《しんたく》を受けた。八幡大菩薩の教えを奉じ、素材となる鉄の吟味《ぎんみ》に重きを置いた鍛冶は、二尺七寸の太刀二振りを打ち上げることに成功する。中国は前漢《ぜんかん》の皇帝・高《こう》祖《そ》が愛用した「三尺《さんじゃく》の剣《つるぎ》」もかくやという、堂々たる宝剣が完成したのだ。

太刀の出来映《できば》えに喜んだ満仲は、試し切りを命じる。

当時の試し切りは、死罪と決まった重罪人の斬首《ざんしゅ》を兼ねていた。

はたして、満仲の眼前で示された切れ味は誠に恐るべきものだった。

「一つの剣は、髭を（首と）加へて（もろともに）切りてければ、（満仲は）『髭切』と名附《なづ》けたり。一つをば膝を加へて切りければ、『膝丸』とぞ号《ごう》しける（命名した）」

その後、満仲より嫡男の頼光に授けられた髭切改め鬼切は、源氏の象徴として崇《あが》められた。次項では、もう一振りの宝剣・膝丸が蜘蛛切《くもぎり》と呼ばれるに至った逸話を紹介するとともに、源氏代々の宝（重宝《じゅうほう》）となった名刀群の存在意義を考えていこう。

蜘蛛切《くもぎり》　源氏が斬った化け物の正体

源氏の棟梁《とうりよう》を亡き者に

清和《せいわ》源氏の祖・源経基《みなもとのつねもと》の嫡男であり清和天皇の曾孫に当たる満仲《みつなか》が、髭切《ひげきり》に膝丸《ひざまる》と名づけた太刀《たち》二振《ふ》りを愛用していた、という屋代本《やしろぼん》『平家物語』剣巻《つるぎのまき》におけるエピソードは、先に紹介した髭切改め鬼切《おにきり》の項目にて述べた。

続いては、髭切と一対に作られ、ともに次代棟梁の**源頼光《よりみつ》**（九四八〜一〇二一）へと受け継がれた二尺《しやく》七寸《すん》（約八一センチメートル）の宝剣・膝丸を取り上げよう。

奇《く》しくも渡辺綱《わたなべのつな》が一条戻橋《いちじようもどりばし》で茨木童子《いばらきどうじ》と渡り合ったのと同年の夏、頼光が原因不明の発作（瘧《おこり》）に冒された。件《くだん》の『平家物語』剣巻に曰《いわ》く、

「如何に落《おと》せども（病を招くとされた悪霊を祈禱《きとう》で退散させようとしても）落ちず（回復しない）。後には毎日に（発作が）発《おこ》りけり。発りぬれば頭痛く、身《み》発熱《はねつをはつ》し、

天にもつかず地にもつかず、中《ちゅう》にう（浮）かれて悩まれけりか様《よう》に逼迫《ひっぱく》する事三十余日にぞ及びける（七転八倒して心ここにあらずの苦しみが、三十日以上も続いた）」

主《あるじ》のただならぬ容態《ようだい》を案じた四天王は、手《て》ずから看病に勤めた後、仮眠を取る。ひとり寝所に残された頼光に異変が迫ったのは、夜が更けた後のことだった。

「幽《かす》かなる燭《しょく》（照明）の影より、長《たけ》（身長）七尺（約二一〇センチメートル）ばかりなる法師《ほうし》するすると歩み寄りて、縄をさばきて頼光に附《つ》けんとす（巻きつけようとする）」

忍び寄ってきて縄で絞め殺そうとする曲者《くせもの》に気づくや、跳ね起きた頼光は、

「何者なれば頼光に縄をば附けんとするぞ。悪き奴かな」

と言い放ち、枕元の刀架《とうか》に立てておいた膝丸の太刀を果敢にも一閃《いっせん》させる。

駆けつけた四天王が頼光より顛末《てんまつ》を聞かされ、つぶさに室内を調べると、血が点々とこぼれていた。屋外にまで続いた血こぼれを追跡したところ、北野《きたの》神社の塚にたどり着いた。掘り崩したところ、地中に潜んでいたのは、四尺（約一二〇センチメートル）もの山蜘蛛であった。この蜘蛛が法師の姿をした巨漢に化け、源氏の棟梁を呪詛《じゅそ》

して病に陥らせたあげく、亡き者にせんと館に忍び込んできたのである。搦《から》め取った蜘蛛を前に、頼光は、

「安《やす》からざる事かな（これはただごとではないぞ）。これ程の奴に誑《たぶら》かされ（迷わされて）、三十余日悩まさるるこそ不思議なれ（怪しいことだ）。大路《おおじ》に曝《さら》（晒）すべし」

と命じ、鉄串《てつぐし》に刺して河原に晒させた。

凶悪な山蜘蛛を斬った膝丸の太刀は、かくして蜘蛛切と呼ばれるに至った。髭切改め鬼切、そして膝丸改め蜘蛛切と、揃って洛外《らくがい》の化け物退治に供《きょう》された一対の太刀は源氏の重宝《じゅうほう》と定められ、頼光から甥の**源頼義**《よりよし》（九八八〜一〇七五）、その嫡男の**源八幡太郎義家**《はちまんたろうよしいえ》（一〇三九〜一一〇六）へと受け継がれた。

鬼や化け物蜘蛛に姿を変えて

童子切安綱《どうじぎりやすつな》は大江山《おおえやま》の酒呑童子《しゅてんどうじ》、鬼切は愛宕山《あたごやま》の茨木童子、そして蜘蛛切は北野の山蜘蛛と、いずれにも洛中《らくちゅう》の平和を乱す化け物を退治した伝説が付随《ふずい》している。

どこまでが真実で、どこから先が偽りなのであろうか。

いかに夜の闇が深かった平安の世とはいえ、現実に鬼や巨大な蜘蛛が京の都を徘徊《はいかい》していたとはとても考えられない。当時の貴族たちが脅《おびや》かされていたというさまざまな怪奇現象の実態は、一見すると富裕そうでも暗殺などの危険が絶えない宮廷内の権謀術数《けんぼうじゆつすう》に怯《おび》える日々、そして不健康な生活習慣に端を発する、幻覚症状だったとされているからだ。

それでは、源氏ゆかりの数々の名刀が斬った化け物とははたして何者なのか。

源氏一門が台頭した平安時代の中期、朝廷による一元支配は未だ盤石《ばんじやく》とは言い難いものだった。平安初期に活躍した征夷大将軍《せいいたいしようぐん》・坂上田村麻呂《さかのうえのたむらまろ》らによって大々的な蝦夷《えみし》討伐が敢行されはしたものの、都を遠く離れた地では東西の別を問わず、在地の豪族が独自の勢力圏を築いていた。中央より遣わされた役人の統治に従うどころか逆に攻め滅ぼしたり、もともとは朝廷の権威を担う国司《こくし》の身でありながら堂々と反旗を翻《ひるがえ》したりする猛者《もさ》も多かった。

とりわけ、天慶《てんぎよう》二年（九三九）に常陸国《ひたちのくに》で兵を挙げた平将門《たいらのまさかど》、前後して瀬戸内海を脅かした伊予《いよ》の元国司・藤原純友《ふじわらのすみとも》の蜂起《ほうき》は、承平《じょうへい》・天慶の乱として名高い。

世情不安は、遠い東国・南国だけにはとどまらなかった。

洛中から一歩踏み出せば、そこは平安京とは相容《あいい》れない民の住まう地だった。遷都《せんと》以前からの土着民は蟠踞《ばんきょ》と呼ばれており、ある者は朝廷の支配に従い、ある者は中央権力を嫌って洛外に逃れた。

ところが、貴族たちは富と権力をほしいままにするのみならず、目障《めざわ》りな土着民を迫害せずにはいられなかった。一連の史実を踏まえて考えれば、鬼や蜘蛛とははたしてなんだったのか、自ずと見えてくるような気がしてならない。

ちなみに、童子切安綱の由来を伝える江戸時代の刀剣書『享保名物帳《きょうほうめいぶっちょう》（牒）』では、酒呑童子の正体が、

「丹州《たんしゅう》（丹波国《たんばのくに》）大江山に住《じゅう》す通力自在之山賊《つうりきじざいのさんぞく》（神通力を自由に操る山賊）」

と説き明かされている。

あくまでもひとつの説とはいえ、山賊とはまさに朝廷の支配に従わず野《や》に生きた者の典型ではないか。朝廷の武力たる清和源氏一門が討伐する対象としては、鬼などよ

りも遥かに現実的といえるだろう。

血に染まった源氏の名刀群

血の粛清《しゅくせい》は、いちどきに行われたわけではない。

それこそ坂上田村麻呂の活躍した平安初期から、源頼光とその一族が武勇を誇った中期に至るまで、断続的に、しかし絶えることなく繰り広げられた。

源頼義が東北の陸奥《むつ》・出羽《でわ》へと遣《つか》わされた前九年《ぜんくねん》の役（一〇五一～六二）、嫡男の義家が参戦した後三年《ごさんねん》の役（一〇八三～八七）の時代を迎え、朝廷の威光を背負って粛清する対象はにわかに現実味を帯びてくる。頼義は安倍《あべ》氏、義家は清原《きよはら》氏と、東北に勢力圏を築く豪族をそれぞれ討伐したのだ。

東国武士団の力を借りて勝利へ至った前九年・後三年の役は、かつて桓武《かんむ》平氏の将門らが占拠した東国の地に源氏が食い込み、後の源平争乱を経て鎌倉幕府が樹立される背景となった合戦でもあった。

反源氏の視点から綴《つづ》られた『平家物語』剣巻は、武士の棟梁たる源氏の名を不動の

ものとした頼義・義家父子の武威《ぶい》を淡々と伝え、その一節の締めくくりに、

「何《いず》れも剣の徳《とく》（働き）に依《より》て敵をば取りてけり」

と語っている。

ここでいう「徳」とは、武器としての働きではなく、権威の象徴としての効果に他ならない。しかし、合戦場で指揮を執《と》る頼義・義家のもとで、敗者となった人々がおびただしい血を流したのもまた事実だ。

鬼切と蜘蛛切。

世に名高い源氏重代《じゅうだい》の名刀群の権威のもとに流されたであろう血の重みに、時代を超えて戦慄《せんりつ》せずにはいられない。

薄緑《うすみどり》と今剣《いまのつるぎ》　悲運の名将、義経《よしつね》とともに……

義経はなぜ愛されるのか？

源平争乱の英雄 **源《みなもとの》 九郎判官《くろうほうがん》義経**（一一五九～八九）。源頼朝《よりとも》の異母弟として平家追討戦の指揮を執《と》り、源氏の勝利に貢献しながらも、兄の頼朝に疎《うと》まれ非業《ひごう》の最期を遂げた義経は、古今随一《ここんずいいち》、時を超えて愛される若き武将である。

平安～鎌倉時代の武将を主人公とするフィクションは、能《のう》・歌舞伎《かぶき》などの古典芸能以外では皆無に等しく、映像化したり時代小説として執筆したりする機会もなかなか得られないのが現状だが、数少ない例外のひとりが義経だ。知名度は人気の戦国武将たちにもまったく劣らず、今年（二〇〇五）は二度目の大河ドラマ化も実現した。

実在の義経には謎が多い。にもかかわらず、武蔵坊弁慶《むさしぼうべんけい》との一騎討ちに象徴される華麗な若武者ぶりが人口に膾炙《かいしゃ》しているのはなぜだろうか。それは、限られた史実を背景に虚実を巧みに取り混ぜ、源平争乱の英雄としてのイメージを増幅させたセミ・ドキュメント形式の軍記物《ぐんきもの》の内容が何百年も喧伝《けんでん》され、世に定着した結果なのである。

そんな義経伝説のバックボーンといえば、なにをおいても室町時代初期〜中期に成立したとされる『義経記《ぎけいき》』を挙げなくてはならない。雅《みやび》な貴族の公達《きんだち》にも負けない二枚目のビジュアルに、兵法《ひょうほう》の達人としてのスキルを兼ね備えた義経の人物像は、メディアを問わず作られ続ける「義経もの」の原点となっている。

しかし、『義経記』において「薄化粧に眉細《まゆほそ》やかにつくりて（細く描いて）、髪高《かみたか》やかに結《ゆ》ひあげ（髪を稚児髷《ちごまげ》に高く結っ）」た華麗な貴公子ぶりが誉《ほ》めそやされる一方、鎌倉時代に成立した『平家物語』では、「背《せい》の小さき男の、色の白《しろ》かんなるが向歯《むかいば》の少し差出《さしいで》て（色白だが少し出っ歯）」と、手厳しく描写されている。

実在の義経が細面《ほそおもて》の美丈夫《びじょうふ》だったのか、それとも小柄で異相の持ち主だったのかは定かでないが、人としての本質を語るうえで顔の美醜は関係あるまい。源平争乱に材を得た各時代の軍記物に共通する要素であり、義経を一代の英雄たらしめているのは、平家追討戦において天才的な能力を発揮した稀代《きだい》の指揮官だったという一点だ。

名将に名剣あり

身軽で馬術に優れ、一ノ谷《いちのたに》の戦い（一一八四）で敵陣を崖の上から奇襲した鵯越《ひよどりご》えや、壇ノ浦《だんのうら》の戦い（一一八五）での八艘飛《はっそうと》びと、常人離れした武勇伝を残した義経は、ひとりの武者としても精強だったと考えられる。その反面、当時の武士の表芸《おもてげい》であり主武器とされた弓が不得手《ふえて》で、『平家物語』によると、弦の張りがきつい強弓《つよゆみ》を扱えずに軽くて「尫弱《おうじやく》たる（張りが非常に弱い）」弓を用いていたとのことで、完全無欠だったとは言い難い。

しかし、武将は必ずしも個人としての戦技に秀《ひい》でている必要はない。味方の戦力を無益に消費することなく、攻め際と引き際を心得て兵を動かす、前線指揮官としての才能こそが第一に問われるスキルだからだ。

このように、義経が兵ではなく指揮官だった点を踏まえて考えると、源氏の宝剣である蜘蛛切《くもぎり》を授けられたのも素直に納得がいく。

当時の合戦の主武器が刀剣ではなく弓だったという事実はすでに述べた。源氏が平家を圧倒した理由のひとつに、本来は補助武器の刀剣に加えて薙刀《なぎなた》しか持たせない末端の兵に至るまで弓矢を装備させるといった物量作戦を行ったことが挙げられるほどだ。

そして武将の場合には、軍の采配を執《と》るための指揮刀として個人装備の太刀《たち》が用いられた。なお、末端の兵たちが携行したのは腰刀《こしがたな》と呼ばれた短刀のみで、手柄の証拠として倒した敵の首を切断し持ち帰るためのツールに過ぎなかった。

ちなみに、太平洋戦争の終結に至るまでわが国の陸海軍の将校が軍刀を佩用《はいよう》したのは、前線で自ら戦うためというよりは、大小の隊をまとめる指揮官という立場上、権威の象徴として刀が必要だったからである。

平家追討の指揮を執る立場ともなればなおのこと、権威の象徴たる刀剣は必要不可欠な存在だったに違いない。

義経が担った権威は並ではない。宿敵を討つべく立ち上がった頼朝を助けるために平家との戦いに臨んだ義経に授けられたのは、源氏重代《じゅうだい》の宝剣・蜘蛛切なのである。

平家を滅した源氏の宝剣

ここで、『平家物語』剣巻《つるぎのまき》が伝える源氏重代の宝剣の履歴をたどってみよう。髭切《ひげきり》改め鬼切《おにきり》、そして膝丸《ひざまる》改め蜘蛛切の太刀二振《ふ》りは、源氏屈指の英雄・八幡太郎《はちまんたろう》義家《よしいえ》より養嗣子の為義《ためよし》に譲られた。源氏の棟梁《とうりよう》の座とともども為義が受け継いだ宝剣のうち、蜘蛛切は熊野権現《くまのごんげん》に奉納され、鬼切のみが源氏の重宝《じゆうほう》として嫡男の義朝《よしとも》へ伝えられた。義朝は頼朝・義経兄弟の父である。なお、詳細は本筋との関連性が薄いため割愛するが、為義・義朝が所有した時期に鬼切は獅子《しし》の子《こ》、友切《ともきり》を経て再び髭切と名づけられ、蜘蛛切は吼丸《ほえまる》と改名されている。

平治《へいじ》の乱（一一五九）で敗走した義朝が暗殺される前、髭切を受け継いだ当時十三歳の頼朝は、このまま敵に一族の宝を奪われるのを快《こころよ》しとせず、母方の祖父に当たる尾張《おわり》・熱田《あつた》神宮の大宮司《だいぐうじ》へ密かに託し、宝物殿に納めてもらった。この髭切は二十一年後の治承《じしよう》四年（一一八〇）夏、ついに宿敵打倒ののろしを挙げようと決意したのに際して頼朝が申し受け、晴れて佩用するに至った。

一方の蜘蛛切改め吼丸は、かつて為義が所有していた当時に熊野権現に寄進《きしん》されたままになっていた。それが義経の佩刀《はいとう》となったのは、寿永《じゆえい》三年（一一八四）正月、頼朝の名代《みようだい》として平家追討の指揮を執ることになったと聞きつけた熊野別当《べつとう》の田辺湛《たなべたん》増《ぞう》の計らいだった。熊野権現の管理僧である湛増の父・教真《のりざね》は為義の娘婿だったことから源氏の宝剣の一振りを託され、今日まで熊野の地で守ってきた。そして亡父の後を受け継いだ湛増は、母方の親族である源氏の御曹司《おんぞうし》の勝利を願い、京にいた義経のもとに自ら届けたのである。

父祖の恩顧を忘れぬ縁者の計らいに義経は喜び、吼丸を新たに薄緑と名づけた。

「その故《ゆえ》は熊野より春の山分《やまわ》けて出《い》でたり。夏山は緑も深く、春ほ薄かるらん。されば春の山を分け出でたれば、薄緑と名附《なづ》けたり（夏山と違ってまだ緑の薄い春山の奥からもたらされたのだから、薄緑と名づけよう）」

義経を醜男《しこお》と評した『平家物語』らしからぬ、爽《さわ》やかなイメージで命名された宝剣は、不思議な威光を発揮する。

「この剣を得てより、日来《ひごろ》は平家に随《したが》ひたりつる山陰・山陽の輩《やから》、南海・西海《さいかい》の兵《つわもの》ども、源氏に附《つ》くこと不思議なれ（奇妙なことに、義経が薄緑を得てからは、諸国の平家方の武士が源氏に味方した)」

瀬戸内に面する西国を根拠地としていた平家にとって、一帯の豪族の離反は致命的なダメージだった。同じ寿永三年の二月七日、一ノ谷に出陣した源氏勢は挟撃《きょうげき》作戦を敢行。源平の命運を懸《か》けた戦いに完全勝利する。義経率いる平家追討軍は残存勢力を着々と追いつめ、明くる元暦二年(一一八五)二月に屋島《やしま》の館《たて》を陥落。三月二十四日に長門《ながと》・壇ノ浦で平家一門を滅ぼした。

義経大往生

朝廷の権威を専横《せんおう》した平家の滅亡も束の間、代わって台頭した源頼朝の勢力拡大を快く思わない後白河《ごしらかわ》法皇は、義経に接近する。そのために義経は頼朝に謀反《むほん》の意志を抱いていると見なされ、やむなく東北の地へ逃れた。少年時代に、幽閉されていた京の鞍馬寺《くらまでら》から脱出した後、奥州藤原《おうしゅうふじわら》氏に匿《かくま》われていた時期があったからだ。

だが、かつては源氏の名棟梁・八幡太郎義家の力を借りて東北の覇権を握ったことに恩顧を感じてやまなかった奥州の名家も、すでに代替わりしていた。少年の義経を慈しみ育てた庇護《ひご》者だった秀衡《ひでひら》の後継ぎ・泰衡《やすひら》は、源氏の厄介者を始末し頼朝に取り入ることで奥州藤原氏を存続させるべく時を窺《うかが》う。

そして、文治《ぶんじ》五年（一一八九）閏《うるう》四月三十日。

泰衡の差し向けた手勢により、義経の宿る衣川《ころもがわ》の館《たち》は戦場と化した。弁慶を始めとする古参の忠臣たちは勇敢に戦うが多勢に無勢、ついに義経は愛用の短刀を抜く。

刃長《じんちょう》六寸《すん》五分《ぶ》（約一九・五センチメートル）の短刀は、まだ京の都で牛若《うしわか》、遮那《しゃな》王《おう》と呼ばれていた頃、名工の三条宗近《さんじょうむねちか》が鞍馬寺に奉納した一口《いっこう》だった。幼い義経を養育してきた別当の東光坊蓮忍《とうこうぼうれんにん》が守り刀として与えた短刀の名は今剣という。

鞍馬を去ってからも肌身離さずにいた今剣を手に、義経は滅びゆく者としての最期を臆することなく受け入れる。源平争乱の乱世を駆け抜けた一代の英雄は、幼き日に授かった「柄《つか》には紫檀《したん》を合はせて、沓《くつ》は唐草藤《からくさとう》に竹の輪違《わちが》へをぞしたりける（柄には紫檀［インド原産の赤い木材］を貼り合わせ、鞘尻《さやじり》［鞘の下端］に唐草模様に藤を巻き、竹の輪違い［竹を輪状にしたものを二つ組み合わせた文様《もんよう》］の紋をあしらった）」小さな名刀によって、自らの人生に幕を下ろしたのだった。

獅子王《ししおう》　源氏の老将、ついに立つ

（口絵4）

平家の驕慢《きょうまん》、源氏の忍耐

平治《へいじ》の乱（一一五九）に勝利し、平清盛《たいらのきよもり》を棟梁《とうりょう》に戴《いただ》く平家がわが世の春を謳歌《おうか》していた時期にも、源氏のすべての武士が朝廷から一掃されたわけではなかった。官位をほしいままにした平家に遠く及ばないまでも、貴族の末席《まっせき》に連なる立場として、都に居を構える源氏一門の者が少なからず存在した。

そのひとりが、**源頼政**《みなもとのよりまさ》（一一〇四～八〇）だ。

同じ源氏ながら、頼政は亡き棟梁の義朝《よしとも》との血縁関係が薄い。それでは格下だったのかといえば、そうではない。むしろ、家格は頼政のほうが上だった。

清和《せいわ》天皇の曾孫に当たる満仲《みつなか》の血脈は、酒呑童子《しゅてんどうじ》退治の伝説で知られる嫡男の頼光《よりみつ》に連なる摂津《せっつ》源氏一門が受け継いでいた。頼政は、その摂津源氏の長《おさ》だ。一方、義朝は満仲の三男・頼信《よりのぶ》を祖とする河内《かわち》源氏であった。

先祖が高名だからといって、子々孫々に至るまで栄誉に浴《よく》するとは限らないのが世の常である。頼信から頼義《よりよし》、そして八幡太郎義家《はちまんたろうよしいえ》と続いた河内源氏の男たちは、武勇に優れていればこそ世の武士たちから尊崇《そんすう》され、棟梁のあかしというべき二振《ふ》りの太《た》刀《ち》、鬼切《おにきり》と蜘蛛《くも》切《ぎり》を代々継承するに至ったのだ。

ところが、多くの男子を儲《もう》けた義家の武勇の血脈も長くは続かなかった。養嗣子《ようしし》として棟梁の座を継いだ為義《ためよし》は朝廷の権力に取り入るべく腐心し、貴族を守護する武装勢力としての役目に徹したものの、皇位継承権をめぐる政争であると同時に武士たちの代理戦争でもあった保元《ほうげん》の乱（一一五六）に敗れたあげくの果て、流刑《るけい》先の伊豆《いず》で無惨にも斬られた。父の為義を裏切って一度は平家と手を組んだ義朝も、平治の乱で清盛と激突。敗走する途中で刺客の刃に斃《たお》れ、同様の運命をたどることになる。

かくして残ったのが摂津源氏だったが、すでに平家に対抗する力など持ち合わせてはいなかった。往時の都で勇名を馳《は》せた頼光の末裔とはいえ、武士の身で太政大臣《だじょうだいじん》にのし上がった清盛を筆頭に、一族で破格の官位を独占する平家一門が相手となれば太刀打ちできるものではない。六十三歳になってからようやく昇殿《しょうでん》を許された頼政の官位は従三位《じゅさんみ》。十四歳年下でありながら太政大臣の清盛とは、比較にならないほど低い立場であった。

しかし、清盛が娘の徳子《とくこ》を入内《じゅだい》させ、高倉《たかくら》天皇（在位一一六八〜八〇）との間に誕生した皇子《みこ》、すなわち自分の孫を擁立して帝《みかど》の座に就《つ》けるに及んだとき、ついに老将は立ち上がる。

大太刀《おおだち》を佩《は》いての出陣

清盛と敵対した後白河《ごしらかわ》法皇の第二皇子・以仁王《もちひとおう》を奉じ、頼政が齢《よわい》七十六にして平家打倒の兵を挙げたのは、治承《じしょう》四年（一一八〇）四月二十八日のことだった。

出陣する老将は、一振りの太刀《たち》を佩いていた。

その名は獅子王。近衛《このえ》天皇（在位一一四一〜五五）の御代《みよ》に、洛中《らくちゅう》を騒がせた物《もの》の怪《け》・鵺《ぬえ》を一矢で仕留めた恩賞として下賜《かし》された堂々たる大太刀である。

刃長《じんちょう》三尺《しゃく》五寸《すん》五分《ぶ》（約一〇六・五センチメートル）で、反《そ》り一分（約〇・三センチメートル）の刀身は腰反《こしぞ》りと呼ばれるタイプだ。柄《つか》に近い棟区《むねまち》の部分で極端に反っていても刀身そのものは直刀《ちょくとう》に等しいため、ふつうの太刀であれば一寸（約三センチメートル）にも達する反りが結果として浅くなるのだ。

対象を斬ったときの衝撃を緩和する反りが浅くては構造上まずいと思われるかもしれないが、腰反りは平安中期に登場した毛抜形太刀《けぬきがたたち》に見られるパターンである。騎馬武者向けに、それも指揮刀ではなく武用刀として作られた毛抜形太刀を踏襲した刀剣となれば、馬上から敵を斬り下げることも想定されていたといえよう。

八十を目前にした身でありながら重装備で戦いに臨んだ頼政だったが、乾坤一擲《けんこんいってき》の決意も平家の力の前には功《こう》を奏《そう》さなかった。清盛の専横《せんおう》にかねてより反抗していた大寺社の僧兵たちの呼応をぬかりなく計算していたものの、時を稼ぐ間もなく先制攻撃で手勢を討ち取られ、宇治平等院《うじびょうどういん》の畔《ほとり》で力尽きた頼政は自刃《じじん》する。

当時のままの黒漆太刀拵《くろうるしたちごしらえ》ともども同族の土岐《とき》家が守り伝えた獅子王は、幕末を経て明治天皇に献上され、皇室の御剣《ぎょけん》として現在に至っている。源頼光の末裔たる頼政の気骨《きこつ》を偲《しの》ばせる名刀は、九百年近くを経てもなお、老将の武威を示してやまない。

（口絵1）

小烏丸《こがらすまる》　桓武《かんむ》平家のステイタスシンボル

平家が権力を求めた理由

貴族の傭兵というポジションから大胆に脱し、摂関家《せっかんけ》の権威をものともせずに台頭した平家の有り様《よう》は、まさに強気の一言に尽きる。

躍進の過程が語られる軍記物《ぐんきもの》『保元《ほうげん》物語』と『平治《へいじ》物語』は、格調高い文体で悲劇的な要素が強い『平家物語』と違って生々しい流血描写が多く、敵対勢力の源氏を女子供に至るまで非情に葬り去っていく場面が目立つ。源為朝《みなもとのためとも》、義朝《よしとも》、悪源太義平《あくげんたよしひら》といった猛者《もさ》たちが随所で暴れ回りながらも、最後には敗れ去ってしまうのだ。

史実に即した内容となれば源氏が敗れ平家が勝利するのは当然だが、源氏びいきの立場で書かれたはずの内容が、結果として平清盛《たいらのきよもり》が率いる一門の絶対性を際立たせる要素になっているかのように感じられるのはなぜだろうか。それは権力闘争に明け暮れていた当時の平家の存在感が、いかにセミ・ドキュメント形式の軍記物であっても否定できないほどに強烈だったがために他ならない。

これほどまでに平家が権力を求めずにいられなかった理由とはなんなのか。

ヒントとなる一節が『保元物語』の文中に見出される。

為朝が平家方の若武者・山田《やまだの》小《こ》三郎《さぶろう》惟行《これゆき》と渡り合う場面で、大将の清盛が撤退したのにお前は何をしているのかと罵倒した為朝は、続いて、

「平氏は桓武の皇胤《こういん》といへども、皇胤遥《はる》かに隔《へだ》たり、源氏は清和の御末《おんすえ》、為朝までは正《まさ》しく九代なり。全く汝敵対《なんじてきたい》にあらず。疾《と》う疾う引き退《しりぞ》け（平家は桓武天皇の末裔とはいっても、はるかに末流だ。しかし、わが源氏は清和天皇の子孫で、私はまさしく九代目。お前など敵にはならぬ、さっさと去れ）」

と決めつける。

桓武天皇（在位七八一〜八〇六）の曾孫・高望王《たかもちおう》を祖とする平家に対して、源氏は清和天皇（在位八五八〜七六）の孫・源経基《つねもと》に始まる。重ねた代がまだ少ないぶんだけ、自分たちは平家よりも帝《みかど》との血の繋がりが強いと為朝はいっているのだ。対す

る平家は繋がりが薄い、すなわち権威が弱いと決めつけられた惟行が激昂《げっこう》して深追いし、自滅してしまう姿は、哀れを誘わずにおかない。

為朝の指摘が正鵠《せいこく》を射ているのか否かはともかく、平家は桓武帝の後裔《こうえい》と称すると同時に、確《かく》たる証拠の品を奉じていた。それが本項にて紹介する小烏丸である。

神鳥の贈り物

宮内庁所蔵の御物《ぎょぶつ》として現存する小烏丸は、刃長《じんちょう》が実測六二・七センチメートルで反《そ》りは一・三センチメートル。作刀された時期は、平安時代中期の天慶《てんぎょう》年間（九三八〜四七）頃と見なされている。

剣尖《けんせん》から刀身の半ばにかけてが両刃《もろは》という独特の形状で、同様に作られた短刀などを指して「小烏造《こがらすづくり》」と呼ぶのは、ここから来ている。柄《つか》を装着する茎《なかご》の部分のみ強く反っていて刀身がほぼ直刀《ちょくとう》という仕様は、同時期に登場した毛抜形太刀《けぬきがたたち》のように、柄近くでグッと大きく反った腰反《こしぞ》りにも相通じるものだが、鎬《しのぎ》の部分に太く掻《か》かれた樋《ひ》など、全体的に他の刀剣とは一風変わった特徴が多い。直刀とも太刀《たち》ともつかない、不思議な一振《ふ》りだ。

小烏丸という号の由来については諸説が唱えられているが、桓武天皇が新築された平安京の南殿《なんでん》に昇った折、上空より飛来した巨大な三本足のカラスが運んできたとする伝説が最も有名だ。アマテラスオオミカミ（天照大神）に仕える神鳥・八咫烏《やたがらす》の贈り物となれば、霊験《れいげん》あらたかな宝剣としての説得力も十分であり、平家が重宝《じゅうほう》とするうえでも申し分のない権威づけとなっていたであろうことは想像に難くない。

ちなみに小烏丸が平家一門の宝剣となったのは、承平《じょうへい》・天慶《てんぎょう》の乱にて不穏分子の鎮圧に活躍した**平貞盛**《さだもり》（生没年不詳）が、朱雀《すざく》天皇（在位九三〇〜四六）より下賜《かし》されてからのことだという。神鳥説を重んじるならば人智を超えた神剣と見なしたほうがよいのかもしれないが、いずれにしても、凡百《ぼんぴゃく》の太刀とはまったく異なる威風を備えた外見は、平家のステイタスシンボルにふさわしい一振りといえるだろう。

なお、源為義《ためよし》が蜘蛛切《くもぎり》改め吼丸《ほえまる》を熊野《くまの》権現《ごんげん》に奉納した後、代わりに佩用《はいよう》するため作らせた太刀に烏《からす》をあしらった目貫《めぬき》を入れさせ、小烏丸と命名していたことが『平家物語』剣巻《つるぎのまき》に記されているが、これは別物と考えたほうがよさそうだ。

壇ノ浦《だんのうら》の戦い（一一八五）で平家が滅亡したとき、小烏丸は三種の神器の草薙剣《くさなぎのつるぎ》もろともに海中へ没したとされていたが、有職故実《ゆうそくこじつ》を司《つかさど》る伊勢《いせ》家にあることが江戸時代になってから判明。維新後は元対馬《つしま》藩主の宗《そう》家へもたらされ、明治天皇に献上されて現在に至る。

厳島《いつくしま》の友成《ともなり》　海の藻屑《もくず》と消えた平家のならず者

頼朝に一言いってやる

広島県の厳島神社には、**平 能登守教経**《たいらののとのかみのりつね》（一一六〇？〜八五）が奉納したと伝えられる一振《ふ》りの太刀《たち》が所蔵されている。

国宝指定の刀身は、実測で刃長《じんちょう》七九・三センチメートル、反《そ》り三・一センチメートル。

武者好みの威風を備えた太刀は、平安時代に大原安綱《おおはらやすつな》、三条宗近《さんじょうむねちか》に続いて活躍した日本最古の三名匠のひとり、古備前《こびぜん》友成の作だ。鎌倉時代にかけて数多くの名工を輩出した備前鍛冶は、当時、古備前派と総称された。製作当時に購《あがな》った品にしても安かろうはずはあるまいが、この太刀の所有者もまた、大物なのだ。

教経は平家の総帥《そうすい》・清盛《きよもり》の甥に当たる。若くして能登守の受領《ずりょう》名《めい》を授けられた御《おん》曹司《ぞうし》は、軟弱者ばかりと誤解されがちな平家武者のイメージを覆して余りある剛勇の士だった。弓を取れば十余人を単騎で射殺《いころ》し、義経《よしつね》率いる追討軍との戦いで敗色が濃厚になっていくなかで果敢に一門を率いて戦った。壇ノ浦《だんのうら》の決戦では敵の鎧武者、安芸太郎《あきのたろう》と次郎《じろう》の兄弟二人を抱きかかえたまま、道連れにして海の藻屑と消えるという勇猛ぶりを示している。

その潔さは、『平家物語』における最期の台詞、

「われと思はん者どもは、寄ッて教経にくんでいけどりにせよ。鎌倉へくだッて、頼朝にあうて、物一詞《ひとことば》いはんと思ふぞ。寄れや寄れ（我こそはと思う者どもは、私に組みついて生け捕りにしろ。鎌倉へ下って頼朝に会い、一言いってやるのだ。さあ来い）」

「いざうれ（「おれ」の転《てん》。汝《なんじ》［お前］という意味）、さらばおのれら死途《しで》の山のともせよ（さあ貴様ら、死途の旅路の供をしろ）」

にて雄弁に語られている。

最期まで平家武者の意地を貫き通した若大将の愛刀が、古備前友成だったのだ。

一族繁栄の聖地に

教経が愛刀を奉納した厳島神社は、平家の安寧《あんねい》を祈願して建立《こんりゅう》された社《やしろ》である。西国が本拠地の一門は、海運の至便性を生かし、瀬戸内海～博多間の港々を押さえることで南宋《なんそう》相手の対外貿易を活性化させ、大輪田泊《おおわだのとまり》（現・神戸市）を拠点として巨万の富を得た。

清盛が厳島神社を厚く信仰し、自ら率先して筆を執《と》った写経（平家納経《のうきょう》）を納めたことは有名だが、単なる貴族趣味というだけでなく、平家繁栄の源《みなもと》たる海運の守り神として現世利益《げんせりやく》を願っていたのは間違いあるまい。

教経が古備前友成を奉納した理由は定かでないが、清盛亡き後に一門を守る立場であればこそ、武の象徴たる太刀に若き棟梁《とうりょう》として決意を託したのではないだろうか。

足利将軍家の名刀

かねてより推し進めていた全国支配を確立させて、永きにわたる平家との闘争に終止符を打った源頼朝《みなもとのよりとも》は、征夷大将軍《せいいたいしょうぐん》に就任した建久《けんきゅう》三年（一一九二）に鎌倉幕府を開く。

わが国初の武家政権は東国武士団の後ろ盾で存続するが、源氏に取って代わった北《ほう》条《じょう》一族は元寇《げんこう》後の世情を安定させられず、不満を募《つの》らせた御家人《ごけにん》たちは幕府と対立した後醍醐《ごだいご》天皇に呼応して各地で挙兵。元弘《げんこう》三年（一三三三）に鎌倉幕府は滅亡する。

その後、朝廷による一元支配が画策されたのに伴う混乱のなかで、新たな武家政権の樹立を目指したのが足利尊氏《あしかがたかうじ》である。

源氏と北条一族に代わって台頭した足利氏の歴代将軍は、武家の棟梁《とうりょう》の沽券《こけん》を守るために、はたしてどのような名刀を所有し、世に誇ったのであろうか。

初代の尊氏にゆかりの剛剣を始め、足利将軍家が代々伝えた名刀たちの顔ぶれを以下に見ていこう。

骨喰藤四郎《ほねばみとうしろう》　斬らずして骨まで砕く

表返《おもてがえ》った源氏の正嫡《せいちゃく》

源氏歴代の棟梁《とうりょう》で最も名高い八幡太郎義家《はちまんたろうよしいえ》には、多数の男子がいた。別姓を名乗って東国各地で台頭した義家の末裔たちのなかで、頼朝《よりとも》に次ぐ源氏の嫡流とされていたのが足利《あしかが》氏だ。

源義国《みなもとのよしくに》は下野《しもつけ》国足利を拠点として足利を称し、息子で初代の義康《よしやす》は所領を天皇家に寄進して自らは荘官《しょうかん》を務めた。このように朝廷と結びつく一方、北条時政《ほうじょうときまさ》の娘（政子《まさこ》の妹）を娶《めと》って頼朝と同じ娘婿になった義康以来、歴代当主は北条一族の得宗《とくそう》家《け》より妻を迎えて縁戚関係を結んでいる。幕府の信頼も厚い立場だった足利氏だが、頼朝の血筋が頼家《よりいえ》、実朝《さねとも》とわずか三代で途絶えてからは、自他ともに認める源氏の正嫡として天下を取るべく、虎視眈々《こしたんたん》と機会を窺《うかが》っていた。

足利尊氏《たかうじ》（一三〇五〜五八）は、足利一族の八代当主に当たる。

尊氏の祖父・家時《いえとき》は、北条一族を幕府の執権《しっけん》の座から追い落とす野望を抱きながらも叶《かな》わず、不甲斐なさを祖先の義家に詫びて自害した硬骨《こうこつ》の漢《おとこ》だった。そして、三代後に天下取りを果たしてほしいという家時の遺言を奉じて立ち上がったのが尊氏なのだ。

折しも京の都では、倒幕を志す後醍醐《ごだいご》天皇（在位一三一八〜三九）が西国の武士団と手を組み兵を挙げていた。元弘《げんこう》三年（一三三三）四月、幕府は足利一門に鎮圧を命じるが、すでに北条氏を見限っていた尊氏は祖父の悲願を実現させるべく各地の有力御家人《ごけにん》と語らって行動を開始する。尊氏は北条氏を裏切った、といってしまうのは些《いささ》か語弊があろう。武家の棟梁たる源氏の正嫡として、足利氏の若き当主は敢然と表返ったのだ。

この尊氏の愛用した薙刀《なぎなた》が、骨喰藤四郎である。

「骨喰」とは、斬る真似をされただけでも骨身に染みる、あるいは骨まで砕けてしまうという意味で、平安の昔から切れ味の鋭い剛刀にしばしば冠《かん》せられた異名《いみょう》だ。作者の藤四郎吉光《よしみつ》は、正元《しょうげん》年間（一二五九〜六〇）の刀工で、京の都で名声を馳《は》せた刀工集団・粟田口《あわたぐち》一門を代表する名工のひとりである。

尊氏が藤四郎作の一振《ふ》りを所有するに至ったのは、倒幕から新政権を樹立するまでに堪《た》え忍んだ苦難の日々のなかでのことだった。

朝廷との戦いのなかで手にした利刀

京へ進撃する尊氏と連動し、同じ源氏の係累《けいるい》である新田義貞《にったよしさだ》の率いる御家人連合軍が鎌倉に総攻撃を加え、ついに幕府は滅亡する。かくして諸国の武士団による倒幕が実現したが、旗印となった後醍醐天皇が密かに朝廷の一元支配を目論《もくろ》んでいたことにより、新たな抗争が勃発する。倒幕の原動力となった武士を軽んじ、公家《くげ》政権を復活させた建武《けんむ》の中興《ちゅうこう》（新政《しんせい》）に従わず、尊氏は朝廷に反旗を翻《ひるがえ》したのだ。

朝廷側に就いた新田義貞、菊池武敏《きくちたけとし》、北畠顕家《きたばたけあきいえ》と渡り合い、相次ぐ苦戦を強いられながらも尊氏は九州へ下向《げこう》し、在地の武士たちを味方につけて再起する。かかる苦境に陥っていた当時の尊氏を支えたひとりが、豊後国《ぶんごのくに》の守護・大友貞宗《おおともさだむね》だった。

貞宗は、京都から落ち延びてきた尊氏を自前の軍船で九州へ送り届けるという重要な役目を果たした。骨喰藤四郎はこの頃に大友氏より献上されたもので、戦国時代に磨《す》り上《あ》げられて（短縮加工されて）太刀《たち》に姿を変えているが、室町時代の中期までは足利氏の重宝《じゅうほう》として薙刀の原型をとどめていたことが確認されている。

建武三年（一三三六）に尊氏は朝廷を守護する楠木正成《くすのきまさしげ》を打ち破り、ついに京の都を制圧する。同年に後醍醐天皇を廃し、新たに光明《こうみょう》天皇（在位一三三六〜四八）を擁立した尊氏は征夷大将軍《せいいたいしょうぐん》となり、足利幕府を成立させる。しかし、後醍醐天皇は正統の皇位を主張して、北畠氏らの支持のもとに足利幕府への抵抗を続けた。軍記物《ぐんきもの》『太平記《たいへいき》』で知られる、南北朝の動乱の始まりである。

鎌倉幕府の衰退と滅亡、そして南朝方と北朝方の抗争が終焉《しゅうえん》を迎えるまでの時代の変遷を俯瞰《ふかん》し、有名無名の武士たちが繰り広げる熾烈《しれつ》な抗争が活写された『太平記』であるが、尊氏が骨喰を振るう場面は残念ながら登場していない。権力の頂点に君臨した人々よりもむしろ、その配下として最前線で戦った中小の武将、殊《こと》に敗者が好意的に描かれた『太平記』の世界では、足利初代将軍たる尊氏の活劇描写はあまり重要ではなかった……ということなのかもしれない。
斬らずして骨まで砕く、という剣呑《けんのん》な異名を冠した薙刀は実用に供《きょう》されることなく権威の象徴となり、歴代の将軍が受け継いだと見なすべきであろう。

その後の骨喰

光明帝の系統を北朝、後醍醐帝の系統を南朝とする諸国の武士団の抗争は、尊氏の孫・義満《よしみつ》が三代将軍職に就く頃には終息し、足利氏の天下が名実ともに実現。足利幕府の権威は、かくして不動のものとなった。

骨喰は一時期、幕府の重臣で刀剣に造詣《ぞうけい》の深い多賀豊後守高忠《たがぶんごのかみたかただ》が拝領していたともいわれるが、十三代将軍・義輝《よしてる》の代に足利氏の権威を象徴する宝剣というポジションへ戻された。この頃には、すでに薙刀から太刀に加工されていたと見なされる。

その義輝を暗殺して幾多の名刀を奪ったのが、戦国乱世に織田信長《おだのぶなが》の好敵手として悪名を轟《とどろ》かせた大和国《やまとのくに》の戦国大名・松永久秀《まつながひさひで》だ。足利将軍家より流出した名刀群のその後は以降の各項にて紹介していくとして、ここでは骨喰がたどった変遷について述べておこう。

久秀の義輝暗殺と名刀分捕《ぶんど》りの報を聞き、激怒したのが九州の戦国大名・大友宗麟《おおともそうりん》だ。かつて尊氏に骨喰を贈った大友貞宗の末裔である。宗麟は、九州の北半分を勢力圏下に治めた実力者の権威を発動して、久秀に骨喰の返還を求めた。

下克上《げこくじょう》が習《なら》いの戦国乱世となれば、たとえ祖先が忠誠を尽くした足利将軍の末裔が非業《ひごう》の最期を遂げたからとはいえ、義輝暗殺の黒幕である久秀を宗麟が責める道理はない。わざわざ九州から京まで使者を送った目的は、ひとたび将軍家から持ち出したのであれば、もともと家宝として所有した大友家に骨喰藤四郎を返還してほしい、と談じ込むためだけだった。

宗麟の実力、そして三千両相当の謝礼に負けた久秀は骨喰を手放すに至るが、嗣子《しし》の義統《よしむね》の代に弱体化した大友氏は豊臣秀吉《とよとみひでよし》に所望されて断り切れず、虎の子の名刀を献上。秀吉の御刀係《おかたながかり》を務めていた本阿弥光徳《ほんあみこうとく》が押形《おしがた》（拓本《たくほん》）を取っておいたことが幸いし、徳川将軍家に渡った後に明暦《めいれき》の大火（一六五七）で焼身《やきみ》となったとき、修復作業でもとの姿を取り戻すことが叶ったという逸話がある。

鬼丸国綱《おにまるくにつな》　鬼切《おにきり》に鬼丸の二刀流

（口絵2）

かつては北条《ほうじょう》一族の至宝

これから紹介する鬼丸国綱、大典太光世《おおてんたみつよ》、二《ふた》つ銘則宗《めいのりむね》は、骨喰藤四郎《ほねばみとうしろう》の薙刀《なぎなた》と並んで足利将軍家の重宝《じゅうほう》と位置づけられた太刀《たち》の代表格だった。

三振《ふ》りの太刀のなかでもとりわけ名高く、北条氏から源氏一門、足利一門の手を経て、織田信長《おだのぶなが》、豊臣秀吉《とよとみひでよし》のもとを変遷した末に国宝として今に至るのが鬼丸国綱だ。

刀長《じんちょう》は実測七八・二センチメートル。反《そ》り三・二センチメートル。長尺で反りの強い、鎌倉武士好みの堂々たる剛刀である。

源氏三代を廃して北条氏が執権《しっけん》職に就《つ》いた後、鎌倉の地には諸国より多くの名工が招聘《しょうへい》され、それぞれが身につけたスキルを基にして「相州伝《そうしゅうでん》」と呼ばれる新たな作風を生み出した。後年に人気刀工の正宗《まさむね》を輩出し天下に知れ渡ることになる鎌倉鍛冶の礎《いしずえ》を築いたひとりが、鬼丸国綱を手がけた粟田口《あわたぐち》国綱である。

当時より山城伝《やましろでん》と呼ばれて評判の高かった在京の刀工たちのスキルを導入するべく国綱に白羽の矢を立て鎌倉へ招聘したのは、北条氏の支配体制を固めた立役者でもある五代執権**北条時頼**《ときより》（一二二七〜六三）だった。

鬼丸という異名《いみょう》の由来については諸説が唱えられており、初代執権の時政《ときまさ》を夜毎に苦しめる小鬼を乗り移った火鉢の台座ごとひとりでに両断したのがきっかけとする説が広く知られている。出典の『太平記《たいへいき》』では、高時《たかとき》（十四代執権）の代に至るまで鬼丸と名づけられた太刀は大切に受け継がれたという名刀由来が語られているが、時頼と国綱の生きた時代との明らかな格差から、事実無根の創作と見なさざるを得ない。

とはいえ、北条氏が国綱の太刀を源氏重代《じゅうだい》の名刀群にも負けないステイタスシンボルに据《す》えるための一策だったとすれば、このように不可思議な逸話が伝えられていたとしても、おかしくはないだろう。

倒幕を果たした者の手に

しかし、北条氏の権威も盤石ではなかった。

鎌倉幕府の滅亡後、鬼丸国綱は足利尊氏《たかうじ》とともに倒幕の原動力となった東国武士団の実力者、**新田義貞**《にったよしさだ》（一三〇一～三八）の手に渡った。

義貞は北条氏の専横《せんおう》に不満を抱いて各地より集まってきた御家人《ごけにん》たちを束ね、連合軍を組織して鎌倉を総攻撃した、いうなれば倒幕軍の前線指揮官である。敗者として自害した最後の十四代執権・北条高時の死によって、鬼丸国綱の太刀は戦利品という形で鎌倉幕府に引導を渡した男の所有するところとなった。

詳しい来歴は不明だが、新田氏は源氏重代の宝剣・鬼切をかねてより受け継いでいた。そのうえで源氏三代の後釜に座った北条氏の重宝までもわが物としたのだ。

足利氏と新田氏はともに八幡太郎義家《はちまんたろうよしいえ》の三男・源義国《みなもとのよしくに》の子孫で、足利氏は義国の嫡子《ちゃくし》（正室の子）である義康《よしやす》を、新田氏は庶子《しょし》（側室の子）である義重《よししげ》を祖とする一族だった。正嫡の足利氏より格下とはいえ、新田氏もまた源氏一門の末裔である。

鬼切を受け継ぎ、北条一族を滅亡させたうえでそのステイタスシンボルの鬼丸国綱をも奪い取ったことにより、尊氏とは違った形で源氏一門の復権を果たしたといえるだろう。

北条氏の重宝である鬼丸国綱、そして源氏重代の鬼切と、名だたる二大宝剣を揃《そろ》えた義貞は大いに喜び、合戦に際しては同時に佩用《はいよう》したという。

武士が長さのほとんど違わない刀剣を二振り同時に携行することは、もしも一振りが損なわれたときの備えと見なせば、不自然どころかむしろ有益な行為である。三尺《しゃく》（約九〇センチメートル）近い剛刀が二振りとなれば軽かろうはずがあるまいが、南北朝動乱の強者《つわもの》ともなれば、湊川《みなとがわ》の戦い（一三三六）で両手に構えて殺到する矢を薙ぎ払って「その身は恙《つつが》もなかりけり（何の怪我もなかった）」という伝承さえ、不思議と納得できてしまうから奇妙なものである。

この首は新田に間違いない

古き時代の武士として後醍醐《ごだいご》天皇を奉じ、同族の尊氏との抗争に一命を賭《と》した義貞は、『太平記』の世界を際立たせる散り際の見事さを体現した人物である。

延元《えんげん》三年（一三三八）七月二日、越前藤島《えちぜんふじしま》の戦いで手傷を負った義貞は、ひとりだけ落ち延びることを潔しとせず、忠臣たちに先んじて腹を掻《か》き切った。

敵将の斯波高経《しばたかつね》は首実検《くびじっけん》のとき、素性《すじよう》のわからない武将として持参された首に添えられていた二振りの太刀に、

「一振りは銀を以《もっ》て金はばきの上に鬼切といふ文字を入れたり。一振りには金を以て銀はばきの上に鬼丸といふ文字を沈めたり（一振りには金の鎺金《はばきがね》（鍔元《つばもと》を固定する金装具）の上に銀で「鬼切」という文字が、もう一振りには銀の鎺金の上に金で「鬼丸」という文字が刻み込んであった）」

という揺るがぬ証拠を見出し、源氏一門の新田義貞に間違いないと判じている。

大典太光世《おおてんたみつよ》　平安の世に似つかわしくない重厚な太刀姿

（口絵2）

加賀前田家《かがまえだ》三種《さんしゅ》の神器《じんぎ》

かつて足利将軍家の重宝《じゅうほう》で、現国宝としてもと加賀藩主の前田家に伝承される大典太光世は、平安時代に作られた太刀《たち》らしからぬ重厚きわまりない一振《ふ》りだ。

当時の太刀は、細身ですらりと伸びた優美な姿が理想とされていた。対する大典太光世は、実測六六・一センチメートルと刀身が寸詰《すんづ》まりであり、先身幅《さきみはば》が二・五センチメートル、元《もと》身幅三・五センチメートルと幅広い。それでいて二・七センチメートルと武用の太刀並みに強く反《そ》った刀身は、短縮加工の磨《す》り上《あ》げが為されていない作刀当時のままの姿でありながら、太刀にしては驚くほど短く、それでいて独特の重厚な雰囲気を漂わせてやまないのだ。

作刀者の三池光世《みいけみつよ》は承保《じょうほう》年間（一〇七四〜七七）に活躍した筑後国《ちくごのくに》の刀工で、京都内外の名工たちとは異なる、力強くも精緻《せいち》な作風を得意としていた。

足利氏が代々の宝とした当時に実用に供《きよう》されたという記録はないが、江戸時代の試《ため》し切《ぎ》りで武用刀としての真価を発揮した記録がある。

当時の試し切りは、処刑された重罪人の亡骸《なきがら》を対象に行われたが、大典太光世は積み重ねられた二体の胴（二つ胴）を断ち割り、剛刀の特徴でもある猪首切先《いくびきつさき》の剣尖《けんせん》は、死体を重ねた土壇《どだん》に五寸《すん》（約一五センチメートル）まで食い込んだという。

足利十三代将軍の義輝《よしてる》が暗殺されたのに伴って流出した大典太光世は、豊臣秀吉《とよとみひでよし》のもとを経て、若き日からの盟友である**前田利家**《としいえ》（一五三八〜九九）にもたらされた。

大坂城中に出没した物《もの》の怪《け》を寄せつけず、重病人の苦しみまで祓《はら》う霊力を発揮した名刀は、三条宗近《さんじようむねちか》の太刀、徳川二代将軍の秀忠《ひでただ》より拝領した静御前《しずかごぜん》の薙刀《なぎなた》とともに、前田家三種の神器と定められた。

加賀藩の歴代藩主は余人《よじん》の目に一切触れさせることなく黒塗《くろうるし》の唐櫃《からびつ》に収め、ふだんは注連縄《しめなわ》を張った結界に安置している刀身を年に一度だけ自ら取り出し、手入れする労を惜しまなかったという。

二《ふた》つ銘則宗《めいのりむね》　足利将軍家、第三の宝剣

天下人ですら敬う振《ふ》り

今は重要文化財として京都・愛宕《あたご》神社の神宝である二つ銘則宗は、鎌倉時代初期の元暦《げんりやく》年間（一一八四〜八五）頃に刀剣王国の備前《びぜん》で活躍した名工・福岡一文字《ふくおかいちもんじ》則宗の作とされている。

刃長《じんちょう》二尺《しやく》六寸《すん》四分《ぶ》半（約七九・五センチメートル）で、反《そ》りが九分半（約二・八五センチメートル）の刀身は、いかにも鎌倉時代らしい長尺で深反りの太刀《たち》姿を示している。作刀当時のままの茎《なかご》には「××国則宗」という銘《めい》が確認される。判別不能な国名の部分には備前と入る可能性が高いはずだが、実態は定かでない。

二つ銘則宗という異名《いみよう》の由来についても明らかにはされておらず、謎の多い一振りながら、揺るぎない権威を備えているのは、則宗が稀代《きだい》の刀剣愛好家だった後鳥羽《ごとば》

上皇ご用達《ようたし》の御番鍛冶《ごばんかじ》だった点と無関係ではあるまい。

退位後に作刀を趣味とした上皇のため、則宗は毎年一月に宮中へ出仕して相槌《あいづち》（助手）を務めていたのだ。ちなみに、則宗と同時期の御番鍛冶には、延房《のぶふさ》（三月）、宗《むね》吉《よし》（七月）、助宗《すけむね》（九月）、行国《ゆきくに》（十月）、助成《すけしげ》（十一月）、助延《すけのぶ》（十二月）と、他に六名もの一文字派の面々が名を連ねている。

実権を失った足利十五代将軍・義昭《よしあき》が手放した二つ銘則宗を、一個人として最後に所有したのは**豊臣秀吉**《とよとみひでよし》（一五三七～九八）だった。

織田信長《おだのぶなが》の後継者として台頭し、名実ともに天下人となって日《ひ》の本《もと》の頂点に君臨した秀吉ならば、そのまま手元にとどめたとしてもまったく不思議ではない。

齢《よわい》を重ねれば重ねるほどに余人《よじん》の追随を許さない我《が》の強さを発揮した秀吉は、信長亡き後にめぐってきた幾多の名刀を独占してはばからなかったことで知られるが、この二つ銘則宗に限っては入手して早々に愛宕神社へ寄進し、神宝とさせている。

わが世の春を謳歌《おうか》した天下人が敬意を払わずにいられなかったという一点が、二つ銘則宗の備える権威の程を何にも増して雄弁に物語っているといえるだろう。

大般若長光《だいはんにゃながみつ》　義輝《よしてる》死す。抜かれた宝剣の数々

（口絵2）

青天井の価値

下世話な話になるが、こと金銭価値で目を引く足利氏重代《じゅうだい》の宝剣といえば、やはり大般若長光を挙げなくてはなるまい。

現国宝の大般若長光の刃長《じんちょう》は実測七三・六三センチメートル、反《そ》り三・〇三センチメートル。作刀者の備前長船長光《びぜんおさふねながみつ》は、刀剣王国の備前でも屈指の名工として知られるひとりだ。諸説が存在するが、初代（順慶《じゅんけい》長光）を文永《ぶんえい》年間（一二六四〜七五）、二代目（左近将監《さこんしょうげん》長光）を正応《しょうおう》年間（一二八八〜九三）の刀工と見なし、大般若は初代の作とするのが古来からの定説である。

ちなみに大般若長光なる異名《いみょう》は、般若経に由来するものだ。

どうして経典の名前が引き合いに出されたのかというと、足利氏の重宝だった頃に

破格のプレミアがつけられたからに他ならない。般若経は六百巻から成るが、長光作の太刀《たち》には、鑑定の結果、六百貫《かん》の代付《だいづけ》（参考価格）が付《ふ》された。

現代の貨幣価値で約三千万円といえば国宝級の刀剣では珍しい金額ではあるまいが、あくまでも参考価格となれば、実質的な価値はいかほどになるのか……見当のつけようもない。

尊氏《たかうじ》末孫の意気地

足利十三代将軍・義輝の暗殺に伴って流出した大般若長光は、義輝を亡き者にした松永久秀《まつながひさひで》より織田信長《おだのぶなが》に献上され、次いで徳川家康《とくがわいえやす》に贈られた。織田・徳川連合軍が武田氏の騎馬隊を殲滅《せんめつ》した長篠《ながしの》の合戦（一五七五）の折には、功労者となった徳川方の武将・奥平信昌《おくだいらのぶまさ》に授けられている。

破格の名刀は四男の忠明《ただあきら》が受け継ぎ、以降も大般若長光は松平《まつだいら》姓を与えられた忠明の子孫が明治維新後も秘蔵したが、昭和十四年（一九三九）には当時の都知事の年俸の約五倍に相当する五万円で、帝室博物館（現・東京国立博物館）に売却された。

これほどまでに高値を呼んだ文字通りの宝剣を、永禄《えいろく》八年（一五六五）五月十九日夜半に足利将軍家の権威をわが物にせんとした松永久秀と三好《みよし》家の連合軍の襲撃を受け、二条御所《にじょうごしょ》で包囲された足利義輝は、鬼丸国綱《おにまるくにつな》など他の重宝《じゅうほう》とともに持ち出して自ら振るっている。

多勢に無勢で義輝は惨殺され、仮にも将軍の身で自ら戦って討ち死にするとは雑兵《ぞうひょう》のようだと口《くち》さがない人々は洛中《らくちゅう》で噂したとのことだが、窮地に陥りながらも臆することなく堂々と立ち向かって多勢の敵と斬り結んだのだから、まさに尊氏の末裔らしい剛毅《ごうき》を示したといえるだろう。

武将・大名の名刀

古《いにしえ》の武将は戦闘要員たる武士たちを統率する立場であり、戦乱の途絶えた平時には民を治める大名でもあった。各時代に生きた武将・大名は、人の上に立つに足る、確かな力量に裏づけられた英傑《えいけつ》として語り継がれている。

彼らが生前に所有した刀剣は、いずれ劣らぬ名刀として認知されている。もともと高名な刀工が手がけた逸品も少なくないが、その価値は元の所有者である武将・大名が合戦場で、あるいは一個人として残した数々のエピソードがあればこそ高められたといっていい。

そこで、本章では、征夷大将軍《せいいたいしょうぐん》の官職名に揺るぎない権威をもたらした坂上田村麻呂《さかのうえのたむらまろ》に始まり、南北朝動乱の英雄・楠木正成《くすのきまさしげ》から名だたる戦国の漢《おとこ》たち、そして天下太平の江戸時代に在《あ》って烈公《れっこう》と呼ばれた水戸《みと》の徳川斉昭《とくがわなりあき》に至るまで、十五項目におよぶ武将・大名の遺愛刀を取り上げ、名刀たる価値を裏づけた所有者の履歴を振り返ってみよう。

坂上宝剣《さかのうえのほうけん》

初代征夷大将軍《せいいたいしょうぐん》の威光を秘《ひ》めた一振《ふ》り

阿弖流為《あてるい》に苦戦

坂上田村麻呂《さかのうえのたむらまろ》（七五八〜八一一）は、平安時代初期、大和朝廷《やまとちょうてい》の支配力を東北地方にまで及ぼすために力を尽くした古《いにしえ》の征夷大将軍だ。

鎌倉幕府の源頼朝《みなもとのよりとも》を皮切りに、室町幕府、徳川幕府と代々の武家政権の長《おさ》の代名詞となった征夷大将軍は、朝廷より先住民の征討に派遣された軍団指揮官を意味する官職である。東北の蝦夷《えみし》に対しては征夷大将軍、九州の隼人《はやと》に対しては征隼人持節《せいはやとじせつ》大将軍が遣《つか》わされ、将軍を複数の副官が支えた。

朝廷による東北平定事業の歴史は古い。神亀《じんき》元年（七二四）に築いた多賀城《たがじょう》（宮城県多賀城市）に陸奥鎮守府《むつちんじゅふ》を置き、蝦夷に帰順を呼びかける一方で反抗勢力には軍団を差し向けるといった強硬な姿勢で臨んだ。しかし、朝廷の支配に対する反乱は東北の各地で絶えることなく打ち続き、ついに延暦《えんりやく》七年（七八八）には桓武《かんむ》天皇（在位七八一〜八〇六）の勅命により、第一次蝦夷討伐の火蓋《ひぶた》が切られる。

そして、朝廷軍の前に立ちはだかったのが、百戦錬磨の蝦夷の首長・大墓公《たものきみ》阿弓流為である。戦略に優れた阿弓流為は地の利を生かし、五万を超える第一次討伐軍をわずか二千名前後で蹴散らす。敗戦を受け止めた桓武天皇は、まず第二次討伐に向けた現地視察に田村麻呂を登用し、延暦十年（七九一）に東海道《とうかいどう》へ派遣している。

坂上氏は代々の武人一族であり、田村麻呂の父・苅田麻呂《かりたまろ》は陸奥鎮守府将軍を務め上げた傑物だった。田村麻呂は宝亀《ほうき》十一年（七八〇）に近衛 将監《このえしょうげん》となったのを皮切りに禁裏《きんり》を守護する要職に就《つ》いており、帝《みかど》の信頼も厚かったのである。

敵将も感服する漢《おとこ》

田村麻呂らの視察を踏まえて軍の編成が始まり、延暦十三年（七九四）正月から第二次討伐が実行された。

蝦夷の兵は騎射術を得意とし、刀身が反《そ》りを打っているために馬上から斬り下げることも可能な蕨手刀《わらびでとう》を装備した。朝廷軍が無反りのために斬りつけたときの反動を吸収できない脆《もろ》い直刀《ちよくとう》を用いていた当時の話である。独自の戦闘スキルを備えた蝦夷に第一次討伐軍が惨敗を喫したのも無理からぬことだが、田村麻呂が征夷副使となった第二次討伐は多大な戦果を挙げた。

このときに田村麻呂が佩用《はいよう》したのが、後に坂上宝剣と崇《あが》め奉られることになる一振りの直刀だった。最初は標剣《しるしのつるぎ》（「そはやのつるぎ」とも）と呼ばれていた無銘《むめい》の刀身は、刃長《じんちよう》こそ不詳だが、細身ながら重《かさ》ねはふつうの直刀より分厚く、平安時代初期の作といわれる。

自身も建立《こんりゆう》に協力した清水寺《きよみずでら》で部下の安全を祈願し、田村麻呂は蝦夷の蕨手刀にも引けを取らない剛刀を佩《は》いて第二次討伐に赴《おもむ》いた。

そして、さらなる戦果を期した桓武天皇より征夷大将軍に任じられ、全軍の指揮を託された田村麻呂は、延暦二十年（八〇一）二月から十月にかけて第三次討伐を敢行する。翌年に陸奥国《むつのくに》胆沢城使《いさわじようし》として再び現地へ派遣された結果、朝廷の手を焼かせてきた阿弖流為と磐具公母礼《ばんぐのきみもれ》の二大首長がついに降伏するに至った。

第二次討伐で七十五ヶ村を焼き払われ、四百五十名の首級《しるし》を挙げられる痛手を負ったにもかかわらず、二大首長が田村麻呂に恭順の意を示したのは、朝廷の他の武将にはない武勇と権威に感服したからに他ならないだろう。降伏すれば命を奪われると承知のうえで、敵将に身を委《ゆだ》ねたのだ。

武官として非情に徹するべき立場でありながら、田村麻呂は阿弖流為と磐具公母礼の助命を朝廷に願い出ている。嘆願は空しくも退けられたが、処刑後に再び現地へ赴いた田村麻呂は反乱に見舞われることもなく、延暦二十二年（八〇三）三月から翌年八月までの一年半で、蝦夷地経営の礎《いしずえ》を築くことに成功した。

都に帰参した田村麻呂が弘仁《こうにん》二年（八一一）に没した後、遺愛刀の標剣は天皇家の御剣《ぎょけん》に加えられ、歴代の帝や皇子《みこ》の側近くに置かれた。敦実親王《あつみしんのう》のもとでは雷が鳴り響くとひとりでに鞘走《さやばし》る霊威を発揮し、醍醐《だいご》天皇（在位八九七〜九三〇）は御所内のみならず行幸《ぎょうこう》の際にも佩用《はいよう》したという。

征夷大将軍の権威を高めた名将の遺愛刀は坂上宝剣と呼ばれるに至り、京都・鞍馬《くらま》寺《でら》に所蔵されて、現在は重要文化財指定を受けている。

小竜景光《こりゅうかげみつ》　帝《みかど》に奉じた楠公《なんこう》の佩刀《はいとう》

（口絵2）

河内《かわち》男《おとこ》の鑑《かがみ》

鎌倉幕府の瓦解《がかい》から建武《けんむ》の新政《しんせい》、南北朝動乱と打ち続く権力闘争の様相が綴《つづ》られた『太平記《たいへいき》』は、一度は志を同じくした武士たちが分裂し、裏切りと権謀術数《けんぼうじゅっすう》が渦巻く世界を描いたものだ。そんななかで、欲得抜きに後醍醐《ごだいご》天皇と南朝を支援し続けた末、足利尊氏《あしかがたかうじ》の大軍相手に玉砕した**楠木正成**《くすのきまさしげ》（?～一三三六）は、亡き父に続いて合戦場に散った息子の正行《まさつら》とともども、掛け値なしの感動を与えてくれる。

楠木一族は鎌倉時代末期に悪党と呼ばれた新興武士団のひとつで、河内国を拠点に栄えていた。この「悪党」という字面《じづら》からはあまりよろしくない印象を受けがちだが、正成は北条《ほうじょう》氏が牛耳《ぎゅうじ》る鎌倉幕府に甘えるようなことはなかった。

他の悪党（＝新興武士団）が近隣の荘園《しょうえん》からの物資の略奪をもっぱらのシノギと

していたのに対し、楠木の一党は、逆の立場の武装集団として、朝廷や貴族の領地から都まで年貢《ねんぐ》を守りながら運び込む運送業を手がけていた。他者にたかる凡百《ぼんぴやく》の悪党とはひと味違う、真に自立自営した集団だったのだ。

正成と南朝方との関わりは古い。頓挫《とんざ》した正中《しょうちゅう》の変（一三二四）に続いて、後醍醐天皇が鎌倉幕府の打倒を画策した元弘《げんこう》の変（一三三一）のとき、正成は畿内でただひとり呼びかけに応じて挙兵している。他の武士団や僧兵がことごとく無視したにもかかわらず、倒幕を期した帝《みかど》の悲願を叶《かな》え奉るべく敢然と立ち上がったのだ。

昔も今も大坂（阪）は功利高いというイメージが強いが、ときとして損得勘定抜きで行動するのも美徳とされる。正成は河内男の美学を体現していたといっていい。

そんな正成の愛刀が、小竜景光だ。

備前《びぜん》の名工・長船景光《おさふねかげみつ》が手がけた刀身は、刃長《じんちょう》が実測七四・〇センチメートル、反《そ》り二・九センチメートル。作刀された当時の茎《なかご》が二寸《すん》（約六・〇センチメートル）以上も切断され、磨《す》り上《あ》げられた状態だが、元亨《げんこう》二年（一三二二）五月作の銘《めい》が残されていることから、正成が生前から佩用《はいよう》していたという事実が裏づけられる。

異名《いみょう》の由来は、刀身を飾る棒樋《ぼうび》と竜の彫物で、かつては刀身に剥《む》き出しになっていた竜が磨り上げされたため柄《つか》のなかに隠れてしまい、わずかに鍔元《つばもと》から顔を覗かせた状態になっていることから「のぞき竜景光」とも呼ばれる。

鎌倉幕府を葬り去った陰の功労者

兵を挙げた当初の根城である赤坂城《あかさかじょう》が陥落し、捕らえられた後醍醐天皇は隠岐島《おきのしま》に配流されてしまったものの、自害して焼死したと見せかけて脱出した。

再び挙兵した正成は、合戦の作法にとらわれないゲリラ戦法で幕府軍を苦しめた。六波羅探題《ろくはらたんだい》より差し向けられた七千余騎を迎え撃ったときは、二千三百余騎の手勢を分散させ、大軍と見せかけて動揺を誘いながら川辺へ追い込み、淀川《よどがわ》と大和川《やまとがわ》の合流点にかかる渡辺《わたなべ》の橋を一度に渡らせて川に落とし、溺れさせる奇策を用いている。

京の人々は正成の活躍を褒《ほ》め称《たた》え、幕府軍の敗将（高橋《たかはし》・隅田《すみだ》）を貶《おとし》めて、「渡辺の水いかばかり早ければ高橋落て隅田ながるらん」という狂歌《きょうか》に詠んだという。

こうして正成が奮戦する一方、後醍醐天皇の皇子《みこ》のひとりである護良親王《もりよししんのう》が大和《やまと》で挙兵。ついに他の悪党たちも呼応して、播磨《はりま》の赤松則村《あかまつのりむら》らが立ち上がった。

一方、隠岐を脱出した後醍醐天皇は、上洛を果たした足利尊氏と合流するに至る。尊氏が則村らと共闘して六波羅の幕府軍を攻めている間に、新田義貞《にったよしさだ》率いる御家人《ごけにん》連合軍は鎌倉に殺到し、ついに幕府は滅亡する。

北条氏を見限った尊氏の行動により、鎌倉幕府の瓦解《がかい》が決定的となったのは紛《まぎ》れもない事実である。もしも源氏の正嫡《せいちゃく》たる尊氏の離反がなければ、諸国の御家人が幕府を裏切ることなどは起こり得なかったからだ。しかし、最も苦しい時期に後醍醐天皇を支え続けた正成と楠木一族が最大の陰の功労者であることにも疑いの余地はない。

楠公こと楠木正成は、後世の人々から思想を超えて尊崇《そんすう》を集めた。その分身というべき小竜景光は、河内国のどこかに眠っていると目《もく》されながらも永らく所在が不明になっていたが、幕末に発見され、彦根《ひこね》藩の井伊《いい》家が所有した。

その後、彦根藩と繋がりを持つ御様御用首斬り役《おためしごようくびきやく》の山田《やまだ》家に委《ゆだ》ねられ、維新後に明治天皇へ献上されてからは、数ある御剣《ぎょけん》のなかでも殊《こと》の外《ほか》に愛《め》でられたという。現在は国宝指定を受けている。

へし切長谷部《ぎりはせべ》（口絵4）

信長《のぶなが》、坊主を棚ごと圧《へ》し斬る

天下無双の覇王

一世紀にわたって下克上《げこくじょう》の乱世が打ち続くなか、名だたる勇将・智将が全国各地で鎬《しのぎ》を削った戦国時代。誰もが天下取りを狙っていたわけではなく、獲得した自領の権益を守ることに重きをおく者のほうがむしろ多かったため、歴史学上では群雄《ぐんゆう》ではなく割拠《かっきょ》の時代だったとの見方もされているが、天下統一の実現を目指して力を蓄え邁進《まいしん》した戦国武将も決して少なくない。そのなかでも極めつけのひとりといえば、やはり**織田《おだ》信長**（一五三四〜八二）にとどめを刺す。

尾張国《おわりのくに》に割拠する一大名に過ぎなかった信長は、駿河国《するがのくに》の名将・今川義元《いまがわよしもと》を討った桶狭間《おけはざま》の戦い（一五六〇）で一気に名を挙げ、天下に武を布く（広める）と意味する「天下布武《てんかふぶ》」の印判を用いることで、乱世統一の揺るぎない意志を世に喧伝《けんでん》した戦国無双の強者《つわもの》だ。

当時来日していたポルトガル人宣教師のルイス・フロイスは、信長を、「長身、痩《そう》軀《く》で、ひげは少ない。声はかん高い。常に武技《ぶぎ》を好み、粗野である」と評している。フロイスの報告には誇張が多く、本国のイエズス会でも鵜《う》呑《の》みにはしていなかったというが、異国人の観察となれば客観性がある。多少割り引いても、短気で冷酷、残忍だったと世に評される信長の人物像を裏づける材料のひとつとなり得るだろう。

もちろん、元亀《げんき》二年（一五七一）の比叡山《ひえいざん》焼き討ちを始めとする、戦国乱世を震撼させるほどの大量殺戮《さつりく》を断行したのは、信長一個人の性癖ではなく、旧勢力を一掃して新たな時代を拓《ひら》くための策だったと見なすべきだ。しかし、信長の短気な性格が災いしての刃傷沙汰《にんじょうざた》が一度ならず引き起こされたのもまた事実である。

正宗十哲《まさむねじってつ》、入魂の太刀《たち》

無礼を働いた茶坊主を成敗しようと城中を追い回し、台所の棚の下に隠れたのを上から圧し斬ったために「へし切」の異名《いみょう》がついた刀が現存している。

作刀者は相模国《さがみのくに》が輩出した不世出《ふせいしゅつ》の名工・相州《そうしゅう》正宗の門下で十哲（十人の高弟）のひとりにも数えられた長谷部国重《くにしげ》だ。

南北朝動乱が観応《かんのう》の擾乱《じょうらん》と呼ばれる全国規模の争乱に発展した延文《えんぶん》年間（一三五六～六一）頃に活躍した国重は、江戸時代初期まで武士と庶民が身分の区別なく常に護身用に差した、一尺《しゃく》（約三〇センチメートル）前後の短刀を多く手がけた。

あの信長が血を吸わせた刀の作者ともなれば、殺伐たる武具ばかり手がけていたと思われるかもしれないが、最初から人斬りに用いられることを望んで精魂を傾け、刀を打ち鍛《きた》える者はいない。わずかしか鍛えなかった入魂の太刀の一振《ふ》りが、戦国乱世に至って「へし切長谷部」などと剣呑《けんのん》な異名を冠《かん》せられるなど、生前の国重には思いも及ばなかったことだろう。

現国宝として福岡市博物館に収蔵されている刀身は、実測で刃長《じんちょう》六四・八四センチメートル、反《そ》り一・〇センチメートル。磨《す》り上《あ》げられているが、元は三尺（約九〇センチメートル）近かったという。怒りに任せての成敗の是非はともあれ、これほどの剛刀を手近に置いておくほど武勇を好んだ信長の生前の姿が偲《しの》ばれる一振りだ。

不動行光《ふどうゆきみつ》　信長《のぶなが》が愛《め》でた美童と短刀

名器、名刀、名臣

狷介《けんかい》なイメージばかりで見られがちな**織田信長**《おだ》（一五三四〜八二）だが、当時の戦国武将の多くがそうであったように、茶の湯を好む文化人としての側面も備えていた。

名刀と呼ばれる刀剣が多いのと同様に、茶の世界においても好事家《こうずか》の関心を集める名器は枚挙に遑《いとま》がない。

信長は名器中の名器と謳《うた》われた九十九髪茄子茶入《つくもがみなすのちゃいれ》を自慢にしており、「不動行光、つくも髪、人には五郎左御座候《ごろうざござそうろう》」と、宴席でご機嫌になるたびに唄うのが常だった。

茶入と並んで挙げられているのは、信長が愛蔵した不動行光の短刀、そして家臣の丹羽五郎左衛門長秀《にわごろうざえもんながひで》である。

不動行光の作刀者は、文永《ぶんえい》〜元亨《げんこう》年間（一二六四〜一三二四）の鎌倉鍛冶で、当時確立されたばかりだった相州伝《そうしゅうでん》の名手・藤三郎《とうざぶろう》行光だ。刀身は本能寺《ほんのうじ》の変（一五八二）で焼身《やきみ》になっているが、江戸時代中期の寛政《かんせい》十二年（一八〇〇）に刊行された古宝物の模写図録集『集古十種《しゅうこじっしゅ》』によると、当時はまだ本能寺に所蔵されていた刀身は一尺《しゃく》八寸《すん》六分《ぶ》（約五五・八センチメートル）。短刀と呼ぶにはやや長いのは、脇差《わきざし》（一尺以上二尺未満の刀）に相当するふだん差しの腰刀《こしがたな》だったからだ。

名刀と名器に次いで挙げられた丹羽長秀は、信長の小姓《こしょう》上がりの重臣である。元亀《げんき》元年（一五七〇）の姉川《あねがわ》の戦いで近江《おうみ》の佐和山《さわやま》城を攻略後、居城とすることを許されたのも、数々の合戦に出陣して手柄を立ててきた子飼いの忠臣なればこそだった。

森蘭丸《もりらんまる》が愛された理由

自慢の歌に詠み込むほど長秀を信頼していたのは確かだが、信長が最も愛していたのが小姓の**森蘭丸**（長定《ながさだ》。一五六五～八二）だったのは、ご存じの通りである。

男色相手としてだけではなく、若くして奉行《ぶぎょう》や奏者《そうじゃ》（使者）の任を全うできる蘭丸の才能を見込めばこそ信長は重く用いたといわれるが、何物にも替え難いはずの不動行光を下げ渡したのは、やはり格別の愛情と信頼があってのことに違いあるまい。

この不動行光には、黒塗《くろうるし》の刻《きざ》み鞘《ざや》がついていた。現存するのは復元品だが、信長は名刀にふさわしく豪奢《ごうしゃ》に作らせた専用の刀装《とうそう》を自慢の種にしていた。

戯《たわむ》れに小姓たちを集め、当たれば褒美に不動行光をやろうといって信長が鞘の刻み目の数を問うたとき、いつも厠《かわや》に立つときに預かっていたために数を知っている蘭丸は、自分が参加しては不公平になると考え、敢えて回答の輪に加わらなかった。殊勝な振る舞いに信長は感心し、秘蔵の不動行光を与えたという。

信長のいちばんのお気に入りだった一振《ふ》りを授けられ拝領した蘭丸は、本能寺で無二の主君を守るべく討ち死にして果てるまで、生涯手放すことはなかった。

ふだんから主君の身辺に気を配っていれば、愛用の腰刀の特徴まで自然と見覚えていたとしても不思議ではないが、よほど心がけが良くなくてはこうはいくまい。

蘭丸は世に喧伝《けんでん》される美貌だけで信長の寵愛《ちょうあい》を一身に集めたわけではなく、主君より秘蔵の名刀を与えられ、その最後の持ち主となるに値するだけの資格を備えた、織田家の逸材だったと見なすべきだろう。

一《いち》期《ご》一振《ひとふり》　天下の名刀を集めた秀吉《ひでよし》の本意とは？

天下人にして名刀マニア

豊臣《とよとみ》秀吉（一五三七〜九八）が戦国乱世でも稀代《きだい》の名刀蒐《しゅうしゅう》集家《か》だったことは、意外と知られていない。

しかし、徳川の天下となった後に幕府の刀剣極所《とうけんきわめどころ》を務めた本阿弥光徳《ほんあみこうとく》は、かつて秀吉のもとで刀の管理を任された立場であり、光徳を厚遇した家康《いえやす》は、大坂夏の陣（一六一五）で灰燼《かいじん》に帰した大坂城の跡から、すでに大半が補修しても二度と人を斬ることなど叶《かな》わない焼身《やきみ》と化しているのを承知のうえで、秀吉の蒐集品を回収させている。豊臣氏の権威を根こそぎ奪うためだったとしても、驚くべき執着ぶりだ。

晩年まで武芸の稽古を欠かすことのなかった家康と異なり、秀吉は取り立てて刀槍の術に秀《ひい》でていたわけではない。信長配下の武将だった当時の数々の手柄は、あくまでも軍を采配する戦《いくさ》上手として出した結果であり、一個人としての戦闘能力が乱世の水準に照らしてさほど高かったとは考えられない。そんな秀吉のもとに、家康が目の色を変えるほどの逸品が群を成して集まったのはなぜだろうか。

天下統一を目前にして本能寺で斃《たお》れた織田信長《おだのぶなが》の後を受け継ぎ、敵対する武将たちをことごとく退けて天下人の座に就いたことにより、在《あ》りし日の秀吉のもとにはおびただしい数の名刀が献上された。秀吉は人斬りの実用に供《きよう》するためではなく、日《ひ》の本《もと》を統《す》べる立場となった己が権威の象徴として古今の名刀を求めたのだ。

名刀を佩《は》くことの真意

刀剣鑑定の名家・本阿弥家の七代当主だった光徳に管理を任せるほどの名刀群のなかでも、とりわけ秀吉が愛蔵したのが一期一振の太刀《たち》だった。作刀者は鎌倉時代初期の正元年間《しようげん》(一二五九〜六〇)に活躍した粟田口藤四郎吉光《あわたぐちとうしろうよしみつ》。短刀製作の名手がわずかに手がけた太刀のうちの一振《ふ》りだ。

寡作《かさく》とはいえ本当に一振りしか鍛《きた》えなかったわけではなく、吉光作の太刀の最高峰と見なされて室町時代に一期一振の異名《いみよう》がついたといわれる。

刃長《じんちよう》は二尺《しやく》二寸《すん》八分《ぶ》（約六八・四センチメートル）と、合戦場で最前線に立つ将兵が白兵戦《はくへいせん》向けに携行した打刀《うちがたな》並みに短いが、失墜《しつつい》した足利十五代将軍の義昭《よしあき》から庇護《ひご》の見返りとして授かった当初は、二尺八寸三分（約八四・九センチメートル）もの長尺だったものを、秀吉が小柄な体格に合わせて磨《す》り上《あ》げさせたと見なされる。

鎌倉時代の名工の作にわざわざ短縮加工を施してまで扱いやすくするとは、武闘派ならぬ秀吉にしては実戦志向を窺《うかが》わせる話だが、磨り上げを命じたのは齢《よわい》六十を前にしてのことだったというから驚きである。

これが家康であればまったく不思議ではないが、再三述べてきた通り、秀吉は武芸とは縁の薄い、智将として出世を果たした人物だからだ。

仮にも佩用《はいよう》する以上、万が一にも危機に見舞われたときのための備えという意識も当然ながら抱いていたはずだが、この一期一振が天下人たる自分の権威を高める至高の名刀と思い定めればこそ、秀吉は貴重な刀身を敢えて短く切り詰めさせてまで身の丈に合わせ、佩刀《はいとう》して歩きたかったのではないだろうか。

朝倉籠手切《あさくらこてぎり》の太刀《たち》　名刀を否定した朝倉一族の秘蔵刀

朝倉の家訓

下克上《げこくじょう》で成り上がった乱世の猛者《もさ》が多いなか、越前国《えちぜんのくに》の朝倉氏は、実権を失う前の足利幕府から守護職に任じられ、さらに実力で敵対勢力を駆逐《くちく》して覇権を確立した由緒正しい戦国大名の一族だ。

最後の当主となった義景《よしかげ》は十五代将軍の足利義昭《よしあき》から庇護《ひご》を求められたが、室町幕府の復権にかこつけた上洛《じょうらく》の大義名分として活用しなかった。後に、その義昭を形だけ奉じることで一気に天下取りへ乗り出した織田信長《おだのぶなが》の前にあえなく滅亡したため、朝倉氏は弱いという印象を抱かれがちだが、先祖は筋金入りの強者《つわもの》だった。

戦国大名としての朝倉氏の初代**朝倉孝景《たかかげ》**（敏景《としかげ》。一四二八〜八一）は、足利幕府衰退の原因となった内紛、いわゆる応仁《おうにん》の乱を好機として台頭するに至った。

東西の両軍を、孝景は巧みに行き来している。西軍の主力として戦功を挙げた後に一度引き揚げ、続いて東軍に味方したことで八代将軍の義政《よしまさ》より越前国の支配を公認された。仮にも現職の将軍のお墨《すみ》つきがあれば、越前平定の大義名分としては十分な価値がある。敵対する守護代の甲斐《かい》氏を討ち、越前の領国化に成功した孝景は、一乗谷《いちじょうだに》に居を構え、義景までの栄華の礎《いしずえ》を築いた。

朝倉氏は、家訓として『朝倉敏景十七箇条』を遵守《じゅんしゅ》していた。

孝景は、たった一振《ふ》りの名刀に大枚《たいまい》を投じるならば、代わりに百筋《すじ》の槍を買い求めて百人の雑兵《ぞうひょう》に持たせるべきと断じている。たしかに、名刀を振るう手練《てだれ》がひとりの槍足軽と戦えばたやすく勝てるかもしれないが、一対百では話にならない。これほど現実に即した初代に連なる一族でありながら朝倉氏が滅亡の憂《う》き目を見たことが、戦国乱世で生き残るのがいかに難しかったのかを如実に物語っている。

籠手ごと一刀両断

たとえ名刀でも補助武器に過ぎない刀を貴ぶことの愚を否定した朝倉氏にも、過去の当主にゆかりの重宝《じゅうほう》として、一振りの太刀が存在していた。

御剣《ぎょけん》「名物《めいぶつ》 籠手切正宗《まさむね》」として現代まで伝えられる太刀は、実測で刃長《じんちょう》六八・五センチメートル、反《そ》り一・四センチメートル。朝倉氏の伝承では、正宗ではなく養子の彦四郎貞宗《ひこしろうさだむね》作、三尺《しゃく》二寸《すん》（約九六センチメートル）に及ぶ大太刀《おおだち》とされている。

鎌倉生まれの鎌倉育ちだった正宗は、相州伝《そうしゅうでん》と呼ばれる、当地独自の作風を確立させた名工である。華美な刃文《はもん》に切れ味鋭い実用性を兼ね備えた正宗作の太刀は、世の武士たちの人気を集めた。その爆発的な需要に応じるため、養子の貞宗が作風のよく似た大太刀を手がけていたとしても不思議ではない。

正宗という評価は後世のものだ。義景を討った信長が戦利品とした後に磨《す》り上《あ》げられ、大津伝十郎長昌《おおつでんじゅうろうながまさ》という小姓《こしょう》に下げ渡された。短縮加工後の茎《なかご》に刻み込まれた「朝倉籠手切太刀也　天正三年十二月」「右幕下御摺上　大津伝十郎拝領」という二つの切付銘《きりつけめい》は、当時の名残である。

信長より拝領した刀身をさらに磨り上げて、現在の刃長にまで短縮加工した伝十郎が討ち死にした後、信長・秀吉《ひでよし》の重臣だった前田利家《まえだとしいえ》の四男に当たる利常《としつね》にもたらされた朝倉籠手切の太刀は、江戸時代を通じて加賀《かが》藩に秘蔵されたが、維新後に明治天皇へ献上されて御剣《ぎょけん》となり、今に至っている。

ちなみに、籠手切なる異名《いみょう》は、応仁の乱のとき、京都市中の戦闘で敵将の腕を防具の鉄籠手もろとも切断した、という故事に由来する。

はたして何代目の当主の武勇伝なのかについては諸説が存在し、斬ったのは鉄籠手ではなくて弽《ゆがけ》（弓を射るため右手に着ける、硬い革製の手袋）ともいわれるが、世の戦国武将がほぼ例外なく貴んだ名刀の価値を雄弁に否定して見せた朝倉氏に重宝の一振りが存在していたという事実がなによりも興味深い。

一文字《いちもんじ》の太刀《たち》と上杉太刀《うえすぎたち》　信玄《しんげん》と謙信《けんしん》にゆかりの刀

（口絵3）

「敵に塩を送る」の由来

戦国時代を代表するライバル同士といえば、やはり**武田信玄**《たけだ》（一五二一〜七三）と**上杉謙信**（一五三〇〜七八）の両雄であろう。

甲斐《かい》から信濃《しなの》にまで勢力圏を広げた信玄と、自領の越後《えちご》に繋がる北信濃への進出を阻《はば》まんとする謙信が、天文《てんぶん》二十二年（一五五三）から永禄《えいろく》七年（一五六四）までの十二年間に五度対陣した川中島《かわなかじま》の戦いはあまりにも有名だが、両者はいたずらに不毛な潰し合いばかりをしていたわけではなく、救いの手を差し伸べることもあった。

ここで自ずと出てくるのが「敵に塩を送る」の格言だ。

北信濃一帯をほぼ領有した信玄は、謙信との抗争劇に一応の終止符を打ち、いよいよ天下取りに乗り出すべく、永禄十一年（一五六八）に東海道《とうかいどう》へ進出した。これまで同盟を結んでいた今川《いまがわ》氏を敵にまわしての行動である。

足利《あしかが》氏に連なる名門の今川氏も、先代当主の義元《よしもと》を桶狭間《おけはざま》の戦い（一五六〇）で失ってからは弱体化が著しい。そこで現当主の氏真《うじざね》は、信玄を共通の敵とする北条氏康《ほうじょううじやす》に助勢を頼み、太平洋側から甲斐国へ塩を運ぶ道をすべて封鎖してしまった。一種の兵糧《ひょうろう》攻めを試みたわけである。

この卑怯な作戦を「不勇不義」と見なした謙信は、日本海側に塩を求めた武田方の荷駄《にだ》を一切妨害せず、越後領内の通過を黙認した。自分も塩の供給路を断てば戦わずして信玄に勝てるとわかっていながら、敵に温情を示したのだ。

格別の計らいに救われた信玄は一振《ふ》りの備前刀《びぜんとう》を謙信に送った。作刀者は銘《めい》が「弘」のひと文字を残して磨《す》り潰されているために不明だが、鎌倉時代中期の作と見なされる。

永らく上杉家に秘蔵され、今は重要文化財になっているこの「一文字の太刀」は、元身幅《もとみはば》が広く、刃長《じんちょう》は二尺《しゃく》七寸《すん》三分《ぶ》（約八一・九センチメートル）で、反《そ》り一寸二分（約三・六センチメートル）。謙信が好んで揃えた備前長船長光《おさふねながみつ》・兼光《かねみつ》の作刀とも共通する、鎌倉時代ならではの豪壮な太刀姿である。

敵に塩を送った謙信と、好みを知り抜いたうえで備前刀を贈呈した信玄。

血で血を洗う激闘を川中島で繰り広げた後に、敵対する立場を超えて気遣いを示し合った両雄の気脈は、この一振りの太刀を通じて結ばれていたといえるだろう。

もうひとつの一文字

さて、謙信といえば、室町幕府の関東管領《かんとうかんれい》・上杉氏を継いだことでも有名だ。

本名を長尾景虎《ながおかげとら》といい、反抗する地元の古豪《ここう》たちを討ち従えて「越後の虎」の異名《いみょう》を取った謙信は、実権を失って越後へ逃れてきた上杉憲政《のりまさ》を保護した。家名が絶えるのを憂《うれ》えた憲政から関東の地を統《す》べる名家の復活を懇願され、幕府の許可を得て上杉姓を名乗ったのは、永禄二年（一五五九）のことである。

すでに関東管領の権威こそ喪失してはいたものの、上杉氏は一文字派の太刀を秘蔵していた。茎《なかご》に「一」の銘が切られているだけで作者名は不明ながら、鎌倉時代中期に最も栄えた備前の福岡《ふくおか》一文字派の刀工が手がけた刀身は、刃長が実測七六・一センチメートル、反り三・三センチメートル。豪壮な一振りには、群鳥文兵庫鎖太刀《ぐんちょうもんひょうごぐさりのたち》拵《ごしらえ》が付属しており、刀身と同時代に作られた拵の好例として貴重である。

江戸時代にも米沢《よねざわ》藩三十万石の大名として存続した上杉氏に代々伝えられ、駿河国《するがのくに》の三嶋大社《みしまたいしゃ》への寄進後は「上杉太刀」と呼ばれた。維新後には明治天皇へ献上されて御剣《ぎょけん》となり、現在は東京国立博物館に収められている。

謙信が愛用した記録はないが、憲政は上杉の家名のみならず家代々の宝まで譲ったという史実に照らせば、手にした可能性も考えられる。この「一文字の太刀」は、越後の虎の眼に、関東管領の肩書き以上の魅力を伴って映っていたのではないだろうか。

鉄炮《てっぽう》切《ぎ》り兼光《かねみつ》・助真《すけざね》　上杉謙信《うえすぎけんしん》による二つの利刀伝説

川中島《かわなかじま》の名場面はデタラメ

上杉謙信（一五三〇〜七八）が遺《のこ》した武勇伝として、このような逸話が伝えられている。

弘治《こうじ》二年（一五五六）三月、川中島の戦いで武田《たけだ》方と対峙《たいじ》した謙信は、手に入れたばかりの備前長船兼光《びぜんおさふねかねみつ》の太刀《たち》を佩《は》いて自ら陣地周辺の見まわりに出た。そこに、信玄の家臣で輪形月半太夫《わかつきはんだゆう》という者が忍び寄り、間合いが詰まったら撃ち倒そうと鉄炮を手に待ち構えたところ、危機を察知した謙信は兼光の剛剣を抜き放ち、鎧《よろい》の上から深手《ふかで》を二太刀浴《あ》びせたのみならず、半太夫が持っていた種子島銃《たねがしまじゅう》まで斜めに両断してしまったという。

後世の検証により、このエピソードは偽りと見なされた。

鉄炮切りの一件からいちばん近い天文《てんぶん》二十四年（一五五五）七月に勃発した第二次川中島の戦い（犀川《さいがわ》の戦い）は三カ月も膠着《こうちやく》状態が続いた末、同年の閏《うるう》十月に和議《わぎ》を結んで落着。明けて弘治二年の三月時点で武田・上杉両軍は交戦していなかった。折しも越後では謙信が隠居して高野山《こうやさん》へ行くと言い出し、家臣たちを慌てさせた頃だ。精強の武田兵を相手に太刀を振るっての武勇伝など、起こり得るはずがない。

また、第四次川中島の戦い（八幡原《はちまんばら》の戦い）で、馬を駆った謙信が武田の本陣に単身突入し、軍配《ぐんぱい》で応じた信玄に「三太刀七太刀」斬りつけたときには、備前長船長光《ながみつ》の作、通称「小豆《あずき》長光」を用いたとされているが、戦国時代劇につきものの名場面も伝説に過ぎない。幕末に尊王《そんのう》思想家の頼山陽《らいさんよう》が漢詩『川中島』にて取り上げたことで有名になって以来、史実と誤解されて久しいというのが現状だ。

とはいえ、謙信が長光と兼光の太刀を好み、豊富に揃えていたのは事実である。

備前国の長光は正応《しようおう》年間（一二八八〜九三）、兼光は延文《えんぶん》年間（一三五六〜六一）の名工で、いずれも刀剣王国の備前で活躍したなかでも屈指の存在だ。

越後《えちご》の虎の異名《いみよう》を取った戦上手《いくさ》で武勇に優れた名将が、佩刀《はいとう》としてふさわしい鎌倉〜南北朝時代の豪壮な太刀を幾振《ふ》りも愛蔵していたからこそ、謙信の権威を高めたいと願った後世の人の手で数々の伝説が生み出され、その内容の魅力ゆえに自ずと世に広まって今に至っている……と解釈するべきなのかもしれない。

本当に鉄炮を真っ二つに!?

さて、兼光の太刀による鉄炮切りは作りごとだとしても、もうひとつ、謙信の遺愛刀にまつわる同様の逸話がある。

信濃国《しなののくに》に陣を敷いていたとき、謙信は近臣をひとりのみ供にして巡視に出た。矢来《やらい》をめぐらせた陣地の外を見回っていると、闇の向こうから人影が近づいてくる。折しも表は大風雨だったが、謙信はすかさず太刀を抜き放ち、肩先から腰まで斬り下げた。討ち取られたのは鉄炮を携えた敵の武者で、その銃身は真っ二つになっていたという。

このときに用いられた太刀の作刀者は、鎌倉で一門を構え、技量の優れた後進を多数輩出した正元《しょうげん》年間（一二五九〜六〇）の名工・一文字助真《いちもんじすけざね》だった。

重要文化財として現存する鉄炮切り助真は大脇差《おおわきざし》で、刃長《じんちょう》は一尺《しゃく》九寸《すん》四分《ぶ》（約五八・二センチメートル）。二尺（約六〇センチメートル）以下は脇差とする銃刀法上の区分に照らすまでもなく、とても太刀と呼べない短さだが、これは磨《す》り上《あ》げられた後の姿だからだ。

短縮加工された理由は定かでないが、本当に鉄炮を一刀両断したために刃が欠けてしまい、ふつうは茎《なかご》のほうから施される磨り上げを剣尖《けんせん》から行い、結果として太刀が大脇差になったとしても納得がいく。

謙信をむやみに崇《あが》め奉るつもりはないが、乱世に生きた英雄にさらなる権威を付与するべく喧伝《けんでん》された数々の利刀伝説のなかでも、鉄炮切り助真にまつわるエピソードはかなり信憑性《しんぴょうせい》が高いといえるのではあるまいか。

青木兼元《あおきかねもと》　真柄切《まがらぎり》の異名《いみよう》を持つ、「関《せき》の孫六《まごろく》」の最高傑作

大太刀《おおだち》の遣《つか》い手、真柄一族

元亀《げんき》元年（一五七〇）六月二十八日。朝倉義景《あさくらよしかげ》に味方した浅井長政《あさいながまさ》を討つべく、合わせて三万一千名に達する織田信長《おだのぶなが》・徳川家康《とくがわいえやす》の両軍が北近江《おうみ》で合流し、朝倉・浅井勢の一万八千名と激突した姉川《あねがわ》の戦いは、早朝から八時間にも及ぶ死闘となった。数で優る織田・徳川連合軍に圧倒された朝倉勢は敗走したが、追撃してくる徳川方の兵を向こうにまわし、果敢な抵抗を試みた武者たちがいた。

朝倉の家中のみならず、戦国乱世全体を見渡しても稀有《けう》であろう大太刀《おおだち》の遣い手は、真柄直隆《なおたか》・直澄《なおずみ》の兄弟、そして直隆の子の隆基《たかもと》である。織田信長の生涯を描く軍記物《ぐんきもの》『信長記《しんちょうき》』では、十郎左衛門《じゅうろうざえもん》直澄・十蔵《じゅうぞう》直隆の父子とされているが、実在の直澄も刃長《じんちょう》五尺《しゃく》三寸《すん》（約一五九センチメートル）に及ぶ大太刀の遣い手だったというから、

ほぼ史実に即していると見なしていい。

以下は『信長記』の内容に沿って話を進めよう。

破格の刀身よりも長い柄《つか》が装着された直澄の大太刀は、刀というよりも巨大な長巻《ながまき》である。単騎で立ち向かっては犠牲が増えるばかりと悟った徳川方は、匂坂《さぎさか》（向坂）式部《しきぶ》の率いる一隊が集団で攻めかかり、ついに直澄の首級《しるし》を挙げた。

父の死を知った直隆は、愛用の四尺七寸（約一四一センチメートル）の大太刀を振るって果敢に奮戦。死を恐れることなく徳川方を薙《な》ぎ倒すが、その前に立ちはだかったのが**青木一重**《あおきかずしげ》（一五五一～一六二八）の一隊だった。

先に攻めかかった家臣たちでは歯が立たず、自ら矢面《やおもて》に立った一重は、鎌槍《かまやり》を操って直隆の大太刀と渡り合った末に左手を斬り落とす。戦闘能力を失った若武者の首を打ち、一重は死闘を制した。この首取りに用いられた刀が青木兼元だ。

杉の木立《こだち》を思わせる刃文《はもん》

人物の名が異名として武具に冠《かん》せられるのは珍しいことではない。この青木兼元の場合は「真柄切」「真柄切兼元」とも呼ばれ、武功を立てた者と討たれた者、双方の名で語り伝えられている。

刃長は実測七〇・六センチメートル、反《そ》り一・五一センチメートル。

作刀者は、戦国乱世に武用刀の一大供給源として栄えた美濃国《みののくに》の関でも屈指の名工として知られる、永正年間《えいしょう》（一五〇四〜二一）の孫六兼元《まごろくかねもと》だ。

俗に「関の孫六三本杉《さんぼんすぎ》」といわれる独特の刃文が特徴とされ、杉の木立を思わせる刃部の呼称は、切れ味鋭い剛刀の代名詞でもある。兼元一門に受け継がれた三本杉の刃文は、代を重ねるごとにくっきりと杉の木が意匠化されたかのような形になってくるが、永正年間の孫六が手がけた三本杉は、ぼんやりとした、あたかも杉の木立を遠くから眺めたときの様《さま》を思わせる、どこまでも天然自然なイメージが持ち味である（刃文については212ページ参照）。

戦国乱世にも類《たぐ》いまれな荒武者との激闘を制した来歴、そして刃文の際立った出来《でき》映《ば》えから、青木兼元は孫六の数ある作刀のなかでも最高傑作と評されている。

本庄正宗《ほんじょうまさむね》　自分に傷を負わせた刺客《しかく》の刀を戦利品に

正宗の一閃《いっせん》を受けて返り討ち

この本庄正宗は、戦国乱世の名刀でも変わった来歴を持つ一振《ふ》りだ。

正宗とは、鎌倉時代、ひいては古今の刀工で最も有名な相州《そうしゅう》正宗のことだが、所有者の**本庄繁長**《ほんじょうしげなが》（一五三九〜一六一三）は一国を領有する戦国大名ではなく、越後の上杉謙信《うえすぎけんしん》を支えた古参の家臣のひとりだった。

繁長が正宗の名刀と思いがけない形で遭遇したのは、主君の謙信が没し、御館《おたて》の乱といわれた内紛を経て家督を継いだ甥の景勝《かげかつ》が越後一国を平定、主家の行く末がほぼ安泰となった天正《てんしょう》十六年（一五八八）夏のことだった。

景勝の意を汲《く》んだ繁長は、奥州の実力者・最上義光《もがみよしあき》の臣下で出羽国《でわのくに》の庄内《しょうない》に勢力圏を有する東禅寺《とうぜんじ》氏を攻めた。当主の義長《よしなが》は十五里ヶ原《じゅうごりがはら》の合戦で討ち死にし、敗走した弟の右馬頭勝正《うまのかみかつまさ》は復讐を果たそうと敵陣に単身潜り込み、繁長の命を狙う。味方になりすまし、首実検《くびじっけん》のため総大将への謁見を果たした勝正は、正宗の刀を抜き打ち、繁長の脳天に斬りつけた。鎌倉時代の太刀《たち》を磨《す》り上《あ》げて、二尺《しゃく》一寸《すん》五分《ぶ》半（約六四・六五センチメートル）にまで思い切って短縮加工したのは、世の好事家《こうずか》にとっては垂涎《すいぜん》の名刀を、武具として惜しげもなく実用に供《きょう》する発想だったのだろう。深反《ふかぞ》りの太刀から反りのごく浅い白兵戦《はくへいせん》向きの打刀《うちがたな》に姿を変えた一振りは、繁長の兜《かぶと》の鉢《はち》を割るほどの威力を示した。

思わぬ襲撃で傷を負わされながらも返り討ちにし、生き長らえた繁長は、事の顚末《てんまつ》を主君の景勝に報告した後、下げ渡された正宗をわが物とする。

それから豊臣秀吉《とよとみひでよし》に臣従した上杉氏の役務を果たすため京へ上った繁長は、秀吉の甥・羽柴秀次《はしばひでつぐ》に所望されて正宗を手放さざるを得なくなるが、本庄正宗の異名《いみよう》を冠《かん》した名刀は徳川家康《とくがわいえやす》が所有するに至り、後に将軍家から紀州《きしゆう》徳川家へ譲られた。

刺客の刀に傷つけられながらその刀を所蔵することを望んだ繁長も、そんな曰《いわ》くつきの一振りを求めた歴代の所有者も、いかにも戦国武者らしい剛胆さを窺《うかが》わせる。

大包平《おおかねひら》　これぞ、名刀の横綱

（口絵4）

国宝中の国宝を持つにふさわしき名将

異名《いみょう》に「大」とつくのはおおむね破格と決まっているが、ここで紹介する大包平は、国宝中の国宝として揺るぎない評価を誇るまさに偉大なる一振《ふ》りだ。

作刀者は永延《えいえん》年間（九八七〜八九）の備前《びぜん》包平。平安時代に台頭した古備前派《こびぜんは》の名工が手がけた刀身は、刃長《じんちょう》が実測八九・二センチメートル、反《そ》り三・四センチメートルと長大だ。童子切安綱《どうじぎりやすつな》と並ぶ、名刀の両横綱とさえいわれている。

稀代《きだい》の名刀を秘蔵し、子々孫々にまで伝えさせた**池田輝政《いけだてるまさ》**（一五六四〜一六一三）とは、はたしてどのような武将だったのか。

織田信長《おだのぶなが》、豊臣秀吉《とよとみひでよし》、徳川家康《とくがわいえやす》と戦国乱世の名だたる面々に仕えた輝政は、十六歳で初陣し、若年の頃から最前線で戦い続けていながら徳川の天下に至るまで無事に生き延びた、稀少な存在のひとりである。

輝政の父と兄は、秀吉と家康が生前に一度だけ対決した小牧《こまき》・長久手《ながくて》の戦いで徳川勢に討ち取られている。

別働隊としての行動を読まれていたのが敗死の原因だったが、この合戦での父・恒興《つねおき》の采配は、秀吉への手土産として小城の攻略を焦り、自ら出張《でば》るなど、いささか軽率さも否めない。本隊の指揮を任された秀吉の甥・羽柴秀次《はしばひでつぐ》が自軍の半数の徳川勢に敗れて敵前逃亡するという事態が加わっては勝ち目はなかったのかもしれないが、父と兄の不運な死を教訓とし、輝政が大いに自省したであろうことは想像に難くない。

生前の秀吉に命じられ、家康の息女の督姫《とくひめ》を継室《けいしつ》（後妻）に迎えた輝政は、五男二女を儲《もう》け、先立つまで添い遂げた。そして秀吉の没後、関ヶ原《せきがはら》の戦いでは選択を誤ることなく東軍に味方し、姫路《ひめじ》五十二万石を与えられ、世に姫路宰相《さいしょう》と謳《うた》われた。

乱世を巧みに、かつ誠実に乗り切り、今や世界遺産となった姫路城にて大往生した池田輝政。彼が秘蔵した来国光《らいくにみつ》の短刀と相州貞宗《そうしゅうさだむね》の脇差《わきざし》は重要文化財、そして大包平の太刀《たち》は国宝中の国宝として、変わらぬ輝きを放っている。

石田正宗《いしだまさむね》 「勝てば官軍」になれなかった不遇の敗将

関ヶ原前夜の陰謀

石田三成《いしだみつなり》（一五六〇〜一六〇〇）は、労多くして報われなかった武将だ。豊臣秀吉の信頼も厚かった逸材でありながら人望に乏《とぼ》しく、秀吉亡き後の豊臣氏の存続に心を砕きながらも敵味方の双方から冷たくあしらわれ、最後は関ヶ原の戦い（一六〇〇）で敗軍の将として縄目《なわめ》を受け、刑場の露《つゆ》と消えた三成。その報われぬ生涯は不遇の一言に尽きる。関ヶ原に至るまでの日々もまた、針のむしろだった。

徳川方との激突も秒読みの段階を迎えた慶長《けいちょう》四年（一五九九）。三成は同じ釜の飯を食った仲であるはずの加藤清正《かとうきよまさ》、福島正則《ふくしままさのり》ら秀吉子飼いの七将《しちしょう》の手勢により、大坂の屋敷に滞在中のところを包囲された。

常日頃からの反感ゆえの脅しではなく、明らかな殺意を抱いての襲撃である。

密かに脱出した三成は、伏見《ふしみ》へ逃れると家康を訪ねた。

騒動を画策し、清正を始めとする七将を焚《た》きつけたのは当の家康だった。むろん気づかぬ三成ではなかったが、正面から庇護《ひご》を求めてきた相手を死に至らしめるのは愚の骨頂《こっちょう》だ。生きて目の前に現れたとなれば保護しなくてはなるまい。

このときに敢えて三成を助命したのは家康の深慮遠謀《しんりょえんぼう》であり、関ヶ原の戦いを実現させて豊臣方を叩くために生かしておいたともいわれるが、少なくとも護送役としてつき添い、近江《おうみ》の佐和山《さわやま》城まで三成を送り届けた**結城秀康**《ゆうきひでやす》（一五七四〜一六〇七）の誠意は本物だった。秀康は家康の二男だが、秀吉の養子を経て結城家の養嗣子《ようしし》となった人物である。今も豊臣氏に、ひいては三成に好意を抱いていたのだ。

恩返しの一振《ふ》り

その好意に応《こた》えて、三成は愛蔵していた正宗の一振りを秀康に贈った。

重要文化財として世に「名物《めいぶつ》 石田正宗」と称される刃長《じんちょう》二尺《しゃく》二寸《すん》五分《ぶ》（約六七・五センチメートル）、反《そ》り八分二厘《りん》（約二・四六センチメートル）の刀身は、磨《す》り上《あ》げが為された無銘《むめい》の刀だが、作刀者は相州《そうしゅう》正宗と断定されている。正宗の手がけた刀は銘がないのが基本のため、純粋に作風から判じられた結果である。短縮加工の工程で元の茎《なかご》が切断されていても、偽物とはならないのだ。

俗に「石田切込《きりこみ》正宗」と呼ばれるのは、物打《ものうち》と鍔《つば》近くの腰元《こしもと》、計二カ所に切込疵《きず》があることに由来する。かつては太刀《たち》だった正宗が、毛利輝元《もうりてるもと》、宇喜多秀家《うきたひでいえ》を経て三成のもとにもたらされるよりも遥か以前、どこかの合戦場で受けたものと見なされる。

刀身に疵がついていても、それが古《いにしえ》の戦闘の名残である場合、現代でも刀剣鑑定上はマイナスではなく、むしろプラスのポイントとされている。

疵を受け、磨り上げられていても、真の価値は損なわれるものではない。

敵味方の双方に嫌われながらも己を曲げずに邁進《まいしん》した三成が、無二の恩人への誠意を託すにはふさわしい一振りだったといえるだろう。

関ヶ原の戦いの折、秀康は会津《あいづ》へ上杉景勝《うえすぎかげかつ》の討伐に赴《おもむ》いており、三成とは直接に交戦していない。敗軍の将として三成が処刑された後も、その名が冠《かん》せられた名刀は結城家の重宝《じゅうほう》として代々伝えられ、現在に至っている。

庖丁正宗《ほうちょうまさむね》　大名三家に伝わる極みの正宗

（口絵4）

まるで庖丁のような造込《つくりこみ》

相州正宗《そうしゅうまさむね》作の短刀として、三振《ふ》りが江戸時代の大名家に秘蔵されていた。日向延岡《ひゅうがのべおか》藩の内藤《ないとう》家、武州忍《ぶしゅうおし》藩の松平《まつだいら》家、そして尾張徳川《おわりとくがわ》家。

内藤家伝来の一振りのみ「庖丁透《すか》し正宗」と称され、残る二大名家には等しく「庖丁正宗」の異名《いみょう》で伝えられている。

どうしてそのような異名がついたのかといえば、短刀でありながら外見が庖丁そのものなのだ。

短刀の造込は、寸延《すんの》びと寸詰《すんづ》まりに大別される。

ごく大まかな言い方をすれば、刀身が切先《きっさき》まですらりと伸びやかなのか、それとも太く短めに仕立てられているかの違いなのだが、ここで紹介する三振りの庖丁正宗はまさに後者の典型であると同時に、正宗作の短刀のなかでも最も寸法が詰まっていると評される。

ちなみに刃長《じんちょう》は、内藤家伝来の庖丁透し正宗が二一・七センチメートルと最も短く、次いで松平家の庖丁正宗が二一・八センチメートル、徳川家の同じく庖丁正宗が実測二四・〇センチメートルとなっている。

外見こそどことなくユニークであっても、不世出《ふせいしゅつ》の名工が匠《たくみ》の技を凝《こ》らした刀身は極上そのもの。華やかであると同時に変化に富んだ正宗の作風は、太刀《たち》よりもむしろ短刀において、顕著に示されているという。

美術品としての日本刀の美

現国宝として評価される庖丁正宗で特筆すべき点は、やはり、際立って幅広い刀身に施《ほどこ》された刀身彫刻であろう。

白鳳《はくほう》・奈良時代から試みられた刀身彫刻は、鎌倉〜南北朝時代に武士の覇権が確立されたことで一気に流行し、合戦の勝利を願っての信仰と相俟《あいま》って、武士たちが現世《げんせ》利益《りやく》のために信心した密教《みっきょう》の仏や護摩箸《ごまばし》などの仏具、さらに仏の名前を意味する梵《ぼん》字《じ》が意匠として取り上げられた。

内藤家の庖丁透し正宗には、異名の通りに透した形で彫り込まれた護摩箸が、松平家の庖丁正宗には剣（素剣《すけん》）と梵字が、徳川家のものには剣がそれぞれ見られる。素剣は不動明王《ふどうみょうおう》の持物《じぶつ》ということから好まれた意匠のひとつである。

造込に刀身彫刻と、名工中の名工というべき正宗の持ち味が凝縮されていればこそ、三振りの庖丁正宗は今もなお世の好事家《こうずか》の関心を集めてやまない。

長尺すぎる古《いにしえ》の太刀が武具としても合戦の勝利を願う宝剣としても完全に無用となった江戸時代。その時代を通じて三振りの庖丁正宗が秘蔵されたのは、こういった美術的価値の高い刀剣が、武士の身分標章としての役目から切り離され、純粋なお宝として愛《め》でられる対象となったことの顕れなのではあるまいか。

鶴丸国永《つるまるくになが》　独眼竜政宗《どくがんりゅうまさむね》が刀に寄せた想い

刀鍛冶を厚遇した伊達《だて》家

優美この上ない刀姿と評される鶴丸国永は、活躍した年代が長暦《ちょうりゃく》年間（一〇三七～四〇）とも十一世紀後半～十二世紀前半ともいわれる京都の鍛冶・五条《ごじょう》国永作の太刀《たち》である。

御剣《ぎょけん》に「名物《めいぶつ》鶴丸」として列せられるこの太刀の刃長《じんちょう》は、実測で七八・六センチメートル、反《そ》り二・七センチメートル。北条《ほうじょう》氏（後北条氏）の秘蔵刀だったのが、織田信長《おだのぶなが》らのもとを経て、伏見《ふしみ》の藤森《ふじもり》神社に寄進された。後に本阿弥《ほんあみ》一族の尽力で仙台藩の伊達家にもたらされてからは、江戸時代を通じて秘蔵され、維新後に最後の藩主となった伊達宗基《むねもと》が明治天皇へ献上。現在に至っている。

鶴丸という異名《いみょう》の由来だが、伊達家の紋は雀なので残念ながら関連性はない。失われた刀装の太刀拵《たちごしらえ》に鶴の紋様があったからでは、という説が唱えられている。どのような経緯《いきさつ》から伊達家が所有する運びとなったのかは定かではないが、仙台藩の礎《いしずえ》を築いた**伊達政宗**（一五六七〜一六三六）が名刀に寄せていた熱意を思えば、幻の一振《ふ》りが伊達家へもたらされ、永らく秘蔵されたのも納得できるような気がする。

奥州の覇者を目指しつつも、豊臣秀吉《とよとみひでよし》に、次いで徳川家康《とくがわいえやす》に臣従することで仙台六十二万石を安堵《あんど》された政宗は、江戸時代を迎えた壮年の頃には専属の刀工である御《お》抱《かかえ》鍛冶の山城大掾国包《やましろだいじょうくにかね》を厚遇するなど、悠々自適《ゆうゆうじてき》の身として刀剣趣味に耽溺《たんでき》した。

国包の技量に磨きをかけさせようと、藩費で京へ五年間の修業に出す一方、大坂の陣に際しては呼び戻し、合戦用の武具の増産と修繕に対応させてもいるが、藩主と藩工の差を超えた固い信頼関係で結ばれていればこそ重用もしたのだ。

政宗の没後も国包を祖とする一門は幕末まで続き、藩工として作刀に励んだ。

代々の仙台《せんだい》国包を重用した伊達家の歴代当主たちのなかでも、三代藩主の綱宗《つなむね》は多趣味で、いずれも玄人《くろうと》の域に達するという器用な人物だったが、隠居後に仙台綱宗を名乗り、武家刀匠となったのも有名な話である。

葵《あおい》崩《くず》し菊紋《きくもん》の太刀《たち》　烈公《れっこう》自らが鍛《きた》えた謎の紋

（口絵3）

大名鍛冶《だいみょうかじ》の極めつけ

江戸時代には、自ら作刀に取り組み大名鍛冶と呼ばれたお歴々《れきれき》が少なくない。そのなかでも極めつけが、水戸《みと》九代藩主**徳川斉昭《とくがわなりあき》**（一八〇〇〜六〇）だ。

尾張《おわり》、紀伊《きい》とともに将軍家に次ぐ家格を誇る御三家《ごさんけ》でありながら、三代光圀《みつくに》の昔から水戸徳川家は朝廷の権威を重んじる傾向が強い。そして、烈公の号そのままの苛烈な気性の斉昭が藩主の座に就《つ》いたのは、遠からず訪れる内憂外患《ないゆうがいかん》の時代の幕開けとなる天保《てんぽう》年間（一八三〇〜四四）の始まりでもあった。

揺るぎない尊攘《そんじょう》の信念に燃え盛り、幕府ではなく国の行く末を憂《うれ》えた烈公が、日《ひ》の本《もと》の武士として、古《いにしえ》の太刀《たち》に価値観を見出したのも当然だろう。

己の魂を宿した作刀に取り組むのに際し、斉昭は藩の御抱《おかかえ》鍛冶・勝村徳勝《かつむらとくかつ》、市毛《いちげ》徳鄰《とくりん》らに相槌《あいづち》（助手）を務めさせ、そのスキルは新たな地肌《ちはだ》を生み出す段階までに達した。

刀身の表面（肌）に立ち昇る雲の如く、金筋《きんすじ》（刃文《はもん》の内外に見られる特徴のひとつ。刃に添って縦に伸びる長めの線）を交えて光り輝くような模様が浮かび上がることから「八雲肌《やくもはだ》」と呼ばれる作風をわが物とし、自作の刀を八雲鍛《ぎたえ》と称して精力的に作刀した斉昭は、諸大名家のみならず、天皇家にも献上している。

ここで注目したいのが、茎《なかご》に切られた紋様だ。

斉昭は作刀に銘《めい》を切らない代わりに、菊花《きっか》を思わせる奇妙な紋を彫りつけるのが常だった。菊花紋といえば天皇家専用の御紋章である。そのままに模していれば不敬な振る舞いと受け取られかねないが、斉昭は外郭《がいかく》の部分のみ菊の花弁を思わせる形に切っており、さらに、中心から十時、十二時、二時の方角を指す、時計の針のような線を刻み込んでいる。

「時計紋《とけいもん》」とも呼ばれる独特の紋に斉昭のいかなる真意が込められていたのかについ

ては、今もなお判然としていない。

天保の改革を幕府に先んじて、それも尊攘思想の普及と実践を前提とする形で断行したことから幕府の不興《ふきょう》を買った斉昭は、ペリーの来航（一八五三）に伴って幕府海防参与《かいぼうさんよ》に任じられたものの、大老《たいろう》・井伊直弼《いいなおすけ》との対立から安政《あんせい》の大獄《たいごく》に連座《れんざ》して終生蟄居《ちっきょ》を命じられ、志半ばに六十一歳の生涯を閉じた。

幽閉《ゆうへい》されたまま果てた烈公には知る由もないままに水戸藩士たちが桜田門外《さくらだもんがい》の変を決行し、井伊の首級《しるし》を挙げたのは、斉昭の死と同じ万延《まんえん》元年（一八六〇）三月のことである。

徳川将軍家の名刀

鎌倉幕府、足利幕府に続く第三の武家政権として慶長《けいちょう》八年（一六〇三）に成立した徳川《とくがわ》幕府は、慶応《けいおう》三年（一八六七）の大政奉還《たいせいほうかん》に至るまで存続した。

将軍が全国の土地所有者という前提のもと、公儀《こうぎ》（幕府）と大名家（藩）が主従関係を結び、将軍より与えられた藩の土地と人民を大名が統治するという公的な支配体制（幕藩体制）は、初代将軍から大御所《おおごしょ》となった徳川家康《いえやす》の主導のもとに始まり、三代家光《いえみつ》の時期に確立された。内憂外患《ないゆうがいかん》の極みを迎えた幕末、十五代慶喜《よしのぶ》を最後に実権を失ったとはいえ、歴代の徳川将軍の存在があればこそ、一世紀に及んだ戦国乱世は終焉《しゅうえん》し、平和な時代が実現したのである。

日《ひ》の本《もと》を治める者の権威の象徴として、歴代の徳川将軍は古今の優れた刀を所有した。同時に、死後は東照大権現《とうしょうだいごんげん》として神格化された家康にゆかりの刀たちは、幕府の守護刀となった。

家康から慶喜まで、徳川十五代の主だった顔ぶれと、彼らが愛蔵・秘蔵した名刀を見ていこう。

三日月宗近《みかづきむねちか》　「天下五剣《てんかごけん》」にして、徳川家《とくがわ》の重宝《じゅうほう》

（口絵3）

江戸まで生き延びた平安の太刀

髭切《ひげきり》・膝丸《ひざまる》の太刀《たち》が源氏の重宝と定められ、足利氏に鬼丸国綱《おにまるくにつな》を始めとする名刀群が代々伝えられたのと同様に、徳川将軍家にも伝来の宝剣が存在した。室町時代に選ばれた「天下五剣」の一振《ふ》りで、現国宝の三日月宗近だ。

ちなみに、残りの天下五剣は、別項にて紹介した童子切安綱《どうじぎりやすつな》、大典太光世《おおてんたみつよ》、鬼丸国綱、および日蓮上人《にちれんしょうにん》の守り刀だったと伝えられる数珠丸恒次《じゅずまるつねつぐ》である。

日本刀のスタンダードというべき太刀が作られ始めた平安時代の中期に相当する永延《えいえん》年間（九八七〜八八九）に活躍し、架空の名刀伝説の主人公として謡曲《ようきょく》『小鍛冶《こかじ》』に登場するほど古くから有名だった洛中《らくちゅう》の名工・三条宗近《さんじょうむねちか》が手がけた刀身は、刃長《じんちょう》が実測八〇・〇センチメートル、反《そ》り二・七センチメートル。

かなりの長尺で反りも深いが、この太刀の第一の見どころは、三日月という異名《いみょう》の由来となった刃文《はもん》である。細身の刀身に浮かび上がる刃文を注視すると、刃縁《はぶち》（峰《みね》の側に来る刃文）に三日月形の模様がいくつも見られるのだ。作刀するときの鉄の鍛《きた》えが際立って丁寧だからこそ、刃文も美しく、精緻《せいち》となるに至ったのであろう。

細身の刀身は、身幅《みはば》（刀身の幅）が先端に近いほど狭く、鍔元《つばもと》に近いほど広くなっている。三日月宗近の先《さき》身幅と元《もと》身幅の比率は、およそ一対二というから驚きだ。

刀剣鑑賞の用語では、このように元身幅が広い刀身を指して「踏《ふ》ん張《ば》りが強い」と表現するが、平安時代に作られた太刀はおおむね同様の仕様であり、長さも当時としてはごくスタンダードなものだった。そんな古《いにしえ》の太刀の多くが戦国時代に短く磨《す》り上《あ》げられ、合戦場での白兵戦《はくへいせん》に際して片手で振るいやすい、ハンディな刀に作り替えられて原型を失ってしまうのだが、この三日月宗近は作刀された平安の世そのままの太刀姿で後世まで無事に生き残り、**徳川家康《いえやす》**（一五四二〜一六一六）の手に渡ったのだった。

不殺《ふさつ》の剣であればこそ

実用に供《きょう》することを想定した場合には、刀剣は先重《さきおも》、つまり、先端近くがより重たいのが望ましい。斬る対象に浴《あ》びせたとき、より強い遠心力が働き、ダメージを与えることができるからだ。反対に元重《もとおも》、すなわち鍔元に近いほど重たい場合は思うように振り下ろせない。

剣術における斬撃《ざんげき》のコツは、踏み込むと同時に大きく弧を描いて斬り下ろし、剣尖《けんせん》から三〜四寸《すん》（約九〜一二センチメートル）の部分、いわゆる物打《ものうち》を確実に打ち込むこととされているが、肝心の刀身が元重では手元から先に下りてしまい、刀身の描く弧が小さくなる。これでは斬りつけが浅くなるし、たとえ倒そうとする相手に届いても十分に遠心力が効いていないため一撃で致命傷を与えるには至らない。手元が重ければ自ずと安定し、刀身を打ち払われても取り落としにくいというメリットも考えられなくはないが、剣術の要諦《ようてい》に照らす限り、元重の刀剣は不利なのだ。

もちろん実際に用いられるなどあってはならない話だが、この三日月宗近は数々の争乱の時代を経て徳川将軍家秘蔵の一振りとなるに至ったにもかかわらず、一度も実戦で行使されたことがなかった。

となれば、斬り合いには甚《はなは》だ向かない元重の仕様であることが、むしろ望ましいというように思えてくる。

天下を統《す》べる者に、好んで人を斬る必要はどこにもない。

恐怖政治の為政者《いせいしゃ》であれば話は別だが、徳川将軍家を頂点とする幕藩体制は民《たみ》百姓を保護することが基本だった。

しばしば娯楽時代劇のネタとされるような年貢《ねんぐ》の強制取り立ても、体制が弛緩《しかん》してきた江戸時代の中期であれば現実の問題として起こっていたであろうが、家康が征夷《せいい》大将軍《たいしょうぐん》の職に就任した当初の発想は、大小の地方領主が支配する人民の収益ばかりか生命までも好き勝手にする悪《あ》しき旧弊《きゅうへい》を改めることにあった。

公租《こうそ》、すなわち年貢は、生業《なりわい》に応じた余剰の生産物・収益金と定め、一年間の経費と食料を見積もったうえで課すのを「聖人の道」と考えるのが幕藩体制の出発点だった。支配者たる大名同士の合戦を禁じると同時に、被支配者の権利と生命も保障したのだ。

平安の昔から一度として血で汚されることのないままに守り伝えられ、徳川将軍家の秘蔵刀となるに至った三日月宗近には、試《ため》し切《ぎ》りの記録もない。

同じ天下五剣の童子切安綱と大典太光世は、それぞれ様剣術《ためしけんじゅつ》（試し切り専門の剣技）の達人の手によって、武用刀としての真価を発揮している。南北朝動乱のときに所有した新田義貞《にったよしさだ》が鬼切《おにきり》ともども携えて奮戦し、足利将軍の重宝となった後も、十三代義輝《よしてる》が二条御所《にじょうごしょ》襲撃の修羅場で振るった鬼丸国綱に至っては、どれほど血を吸ったのか想像もつかない。

一方、数々の乱世を経ていながら実用に供されることのなかった不殺の剣なればこそ、三日月宗近は、戦乱と無法を根絶させた新時代の将軍が権威の象徴として護持するにふさわしい、真の宝剣だったといえるのではないだろうか。

三池光世《みいけみつよ》　徳川《とくがわ》幕府二百六十余年の守り刀

大御所《おおごしょ》、その死の前日

元和《げんな》二年（一六一六）一月二十一日、鷹狩りに出た先の宿で食中毒を起こした**徳川家康《いえやす》**（一五四二～一六一六）が、急遽《きゅうきょ》戻った駿府《すんぷ》城で病床に伏したまま七十四年の波乱に満ちた生涯を閉じたのは、同年四月十七日のことだった。

前日の十六日、家康は駿府町奉行の彦坂九兵衛光正《ひこさかきゅうべえみつまさ》を呼び出す。所望したのは、愛蔵の一振《ふ》りを用いての試《ため》し切《ぎ》りだった。

家康が指定したのは承保《じょうほう》年間（一〇七四～七七）の筑後国《ちくごのくに》の名工・三池光世作の刀である。光世は、かつての足利将軍家の重宝《じゅうほう》で、豊臣秀吉のもとを経て加賀前田《かがまえだ》家の三種《さんしゅ》の神器《じんぎ》に加えられた大典太光世《おおてんたみつよ》の作者でもある。

作刀された平安時代は長尺の太刀《たち》だったであろう刀身も磨《す》り上《あ》げられ、家康が入手した頃には、二尺《しゃく》二寸《すん》三分《ぶ》（約六六・九センチメートル）になっていた。それでも槌《つち》で叩いて作られたという太い棒樋《ぼうび》は健在で、相変わらず優美ではあったが、短縮加工されたことによって扱いやすくなり、武用刀として実戦の場で打ち振るう機能は確実に増しているはずだった。

その武用刀としての真価の程を家康は知りたいと望んだのだ。

死罪と決まった咎人《とがにん》の仕置《しおき》（処刑）を兼ねて刀の切れ味を試す試し切りは平安の昔から行われている。家康の愛刀は、すぐさま仕置の場へと運ばれた。

武士に対する介錯《かいしゃく》が皮一枚を残して首をそっと落とし、抱き首にするのに対して、重罪人に科せられる斬首《ざんしゅ》は刀を振り抜いて刎《は》ねるのが常である。

はたして、首根《くびね》を一刀のもとに断ち切った三池光世の刃は、勢い余って土壇《どだん》（罪人を据《す》える土の台）に達した。「心地よく（すんなりと）土壇にまで切込みし」という所見は、首打ち役の者の手の内《うち》がよほど定まっており、首を骨肉まで両断しても柄《つか》の握りをぶれさせることなく刀を振り抜いたからこそのものであろう。むろん、用いられた家康の愛刀の切れ味が鋭ければこそ、このような結果も出たのだ。

家康の遺言に託された想い

町奉行からの報告を聞いた家康は満足して床の上に起き上がり、自ら二、三度打ち振ってから自分の枕刀《まくらがたな》とするように命じた。

現代では木刀か家庭用の刃物で代用するか、あるいは最初から用意しない場合も多いが、かつての葬儀では、出棺《しゅっかん》までの守り刀として、安置された亡骸《なきがら》の傍らに刀を置くのがふつうだった。江戸時代の武士、それも大御所となれば相当な枕刀が必要だったのはいうまでもないが、家康はまだ息のあるうちに、死後の肉体を守る一振りを自らの意志で選んだのである。

さらに、家康は、「(成仏した私の) 神霊を之《これ》に止《とど》められ永《なが》く国家を守らせたまはん」と言い残している。むろん「之」とは愛刀の三池光世のことだが、続く「国家を守らせたまはん」は、徳川幕府を末永く守護する役に立てたいという意味だ。魂が抜けた後の亡骸のみならず、己が手で打ち立てた幕府の永続を守護する一念を、家康は鋭利な愛刀に託したのだ。

切れ味を敢えて実地に試させたのには心情的な意味もあったはずだが、それ以上に、最後の家康伝説を自らの手で演出し、徳川の天下の維持を願う意志が強いことを世に喧伝《けんでん》したかったのではないか。すでに大坂の陣で豊臣氏を根絶やしにした後だったとはいえ、完全に将軍家に臣従しているとは言い難い諸大名を牽制《けんせい》するための一種のパフォーマンスだったともいえるだろう。

試し切りの翌日に家康は大往生し、入魂の一振りは枕刀の任を全うする。

重ねての遺言により、三池光世は駿州《すんしゅう》久能山《くのうざん》の東照宮《とうしょうぐう》に安置された。後に三代将軍となった家光《いえみつ》は、かつて父の二代秀忠《ひでただ》が建立《こんりゅう》した日光《にっこう》の東照社を大々的に造営し、久能山より東照宮を移して日光東照宮と改めた。理由は亡き祖父を東照大権現《だいごんげん》と称して神格化し、幕府の守護神として祀《まつ》る霊廟《れいびょう》と為すために他ならない。

今もなお久能山《くのうざん》東照宮内に安置されている三池光世、そして同じく安置された相模《さがみ》行光《ゆきみつ》の短刀は、家康の魂とともに徳川の天下の行く末を見守り続けた、いわば権現様の大小《だいしょう》二刀として記憶にとどめたい。

日光助真《にっこうすけざね》　鎌倉《かまくら》鍛冶のパイオニア、一文字《いちもんじ》助真のマスターピース

（口絵3）

すべての条件をかねそなえた剛刀

幕藩体制の永続を祈願して大往生した**徳川家康**《とくがわいえやす》（一五四二〜一六一六）が孫の家光《いえみつ》により神格化され、東照大権現《とうしょうだいごんげん》として祀《まつ》られた日光東照宮は、かの陽明門《ようめいもん》を始めとする権現造《づくり》の豪奢《ごうしゃ》ぶりで知られる。

権現様こと家康の死の前日に鋭利な切れ味を証《しょう》し、徳川将軍家を守護する一振《ふ》りとなった三池光世《みいけみつよ》の他にも、複数の名刀が神殿の奥深くに納められている。現国宝の日光助真もまた、生前の家康が秘蔵した遺愛刀の一振りだ。

刃長《じんちょう》は実測七一・二二センチメートル、反《そ》り二・八八センチメートル。

作刀者の一文字助真は正元《しょうげん》年間（一二五九〜六〇）に活躍し、その一門を鎌倉一文字と呼ぶ。鎌倉時代中期の備前国《びぜんのくに》で福岡《ふくおか》一文字助房《すけふさ》の子に生まれた助真は、五代

執権の北条時頼《ほうじょうときより》に招聘《しょうへい》されて鎌倉へ移り住み、藤源次《ふじげんじ》助真と称された。時の幕府のお膝元である鎌倉の地が新たな刀工のメッカとして栄え、数多くの俊英を輩出するに至ったのは、助真らがパイオニアとなり後進を育てた結果なのだ。

数ある一文字派で屈指の名匠と評される助真が手がけたなかでも、日光助真は覇気《はき》旺溢《おういつ》にして最高傑作と誉《ほま》れが高い。一文字派の特徴とされる丁字刃《ちょうじば》に鎌倉鍛冶として独自の工夫が加えられた刃文《はもん》、鍔元《つばもと》で大きく反っていて踏ん張《ふば》りの強い太刀姿が見事であるのみならず、身幅《みはば》が広くて重《かさ》ね（刀身の厚み）が分厚く猪首切先《いくびきっさき》と、剛刀の条件を余さず満たしている点も見逃せない。

刀身と刀装《とうそう》はまったくの別物

武用の凄みを漂わせるのは刀身だけではない。その刀装もまた、戦国乱世の名残をとどめているのだ。

刀身に装着される柄《つか》、鍔《つば》、鞘《さや》、および装飾用の金装具《きんそうぐ》の一揃《そろ》いを指して刀装、または拵《こしらえ》と呼ぶ。日光助真の刀装は天正拵《てんしょうごしらえ》だ。従来の太刀《たち》に代わって武将や上級武士の間にも普及した実用向きの刀《かたな》（打刀《うちがたな》）の拵として、乱世もたけなわの天正《てんしょう》年間（一五七三～九二）に作られ始めたものである。

豊臣秀吉《とよとみひでよし》が栄華を誇った桃山時代には、鞘の塗りも派手派手しい豪奢なバージョンが登場しているが、生前の家康は黒漆《くろうるし》塗りの堅牢《けんろう》な天正拵を好んで用いた。世の刀剣愛好家たちはこれを助真拵《すけざねごしらえ》と称し、藍革《あいがわ》を用いた柄の菱巻《ひしまき》から三所物《みところもの》と呼ばれる小柄《こづか》（ペーパーナイフ）と笄《こうがい》（頭を掻《か》く道具）、そして目貫《めぬき》（菱巻の間から覗かせる、柄の金装具）の一式に至るまでが、天正拵の手本とされた。

刀剣鑑賞の対象とされるのは刀工が生み出した刀身であり、パーツ別に専門の職人が手がける刀装はあくまでも別物である。日光助真の場合、刀身そのものは東照宮の御神宝として余人《よじん》の目には直《じか》に触れることのない存在だが、在《あ》りし日の権現様が愛用した刀装は助真拵の名を冠《かん》せられ後世に至るまで愛されている。

藤四郎吉光《とうしろうよしみつ》　若き家康《いえやす》の自害をくいとめた「天下三名工《てんかさんめいこう》」の宝剣

手玉に取られた家康

戦国乱世の過当競争に圧勝を収めて徳川《とくがわ》幕府を樹立し、東照大権現《とうしょうだいごんげん》、御神君《ごしんくん》と崇《あが》め奉られた**徳川家康**（一五四二〜一六一六）にも、苦い敗北を喫した日はあった。

とりわけ三十一歳のとき、元亀《げんき》三年（一五七二）十二月二十二日に武田信玄《たけだしんげん》と激突した三方原《みかたがはら》の戦いは、戦国武将・徳川家康の長い戦歴のなかで唯一、完敗といわざるを得ない内容だった。

折しも宿敵・上杉謙信《うえすぎけんしん》との長い抗争を経て北信濃《しなの》を平定した信玄は、敵対していた後北条《ごほうじょう》氏と和議を結び、ついに上洛《じょうらく》を決意したところだった。謙信が積雪に阻《はば》まれて容易には武田領内へ攻め込めない冬の到来を待っての満を持した行動だ。

この事態に驚愕《きょうがく》したのが、後北条・上杉の両氏と同盟して信玄包囲網を築いていた家康だ。包囲網の一角が崩れたとなれば、武田軍団が遠江国《とおとうみのくに》の徳川領を侵すのは目に見えている。信玄が甲斐《かい》から京の都を目指すためには、あらかじめ遠江を攻略し、経路を確保しなくてはならないからだ。もちろん家康も黙って自領を通過させるわけにはいかないが、敵はあまりにも強大である。

元亀三年十月三日、信玄は二万五千名の手勢を率いて甲府《こうふ》城を発ち、自ら遠江攻略に乗り出した。一方、家康の抱える兵は八千に過ぎない。頼みの織田信長《おだのぶなが》は石山本願寺《いしやまほんがんじ》の顕如上人《けんにょしょうにん》を始めとする反信長連合に囲まれている状況下で、待てど暮らせど援軍を送ってもらえない。十二月も半ばに至り、ようやく家康のもとへ派遣されてきたのは、佐久間信盛《さくまのぶもり》・平手長政《ひらてながまさ》の率いる三千の兵のみであった。

圧倒的な頭数の差に加えて、信玄は世に聞こえた百戦錬磨の戦《いくさ》上手だ。そこで家康は本拠の浜松《はままつ》城に籠城《ろうじょう》し、信長の新たな援軍を待とうと画策する。だが、信玄は若い家康の考えを疾《と》うに読んでいた。

完全なる敗北

十二月二十二日の朝、信玄率いる武田方の本隊は城攻めの気配を見せぬまま進軍し続け、正午ごろ浜松城に程近い三方原に陣を敷いた。この動きに対し、家康がまるで誘われたかのように出陣して三方原へ向かったのは、すでに自分をおびき出そうという信玄の術中にはまっていたからに他ならない。

このときに家康が差していた短刀は、正元《しょうげん》年間（一二五九～六〇）の京・粟田口《あわたぐち》一門の俊英で、後に天下を取った豊臣秀吉《とよとみひでよし》が相州正宗《そうしゅうまさむね》、郷義弘《ごうよしひろ》とともに天下三名工のひとりに数えた藤四郎吉光の作だった。

それから日が暮れかかるまで睨《にら》み合っていた両軍の戦闘は唐突に始まった。武田方の礫《つぶて》部隊による挑発に乗せられた徳川軍の左翼が、家康の指揮を待たずに突撃してしまったのである。

敵勢を囲むように各将の率いる隊が展開する「鶴翼《かくよく》の陣」で迫る家康に対し、信玄は全軍で三角を形作る「魚鱗《ぎょりん》の陣」で応じた。合戦の常道に照らせば兵の少ない側が後者の、多い側が前者の陣形を選択するところだが、どうしたことか、家康は敵方の半数にも満たない兵を敢えて分散させる「鶴翼の陣」を取ったのだ。広がっているために守りの薄い陣形の徳川方は終始圧倒され、戦闘は一刻《いっとき》（約二時間）で雌雄を決するに至った。旧暦の十二月末は現在の一月末〜二月初めに当たる。日が暮れるのも早い。総崩れになったうえに夜戦《やせん》へ突入すれば、もはや後がなくなると悟った家康は撤退を決意し、浜松城へと逃げ帰る。

死ぬにはまだ早かった……

むろん武田方は追撃してきたが、複数の家臣が自分は家康だと偽って名乗りを挙げたり、目立つ鎧《よろい》や采配《さいはい》を拝借して身代わりを装うことで追撃の目を欺《あざむ》いて時間を稼いだため、無事に居城までたどり着くことに成功した。

浜松城では篝《かがり》火《び》が焚《た》かれ、城門が開かれたまま夜が更けていった。逃げ帰った家康は敗戦の衝撃で虚脱状態に陥り、粗相《そそう》をしたともいわれるが、その一方で吉光の短刀を抜き腹を切っての自害を試みたとの説が存在する。

百戦錬磨の古豪《ここう》に翻弄された未熟ぶりを恥じてのことともに考えられるが、総大将たる身の家康が自ら命を絶ったうえで家臣一同の助命を乞《こ》うつもりだったとすれば、迫り来る敵に対して城門を開け放つという不可解な行動も納得できる。

ところが、どうやっても家康は死ぬことができなかった。

そうこうしているうちに、すぐ目前まで迫っていた武田の全軍はなぜか引き揚げてしまう。城門を敢えて開けるという、まさに自殺行為とも思える状況を家康の作戦と見なした信玄は、深追いを控えたのだ。千名の貴重な将兵を失ったものの、かくして徳川家は壊滅の危機を免れたのである。

三方原での大敗北は、家康にとってまさに一代の不覚であった。それでも三十代の若さで自ら命を絶つことなく生き長らえ、武家政権の長《おさ》として七十四年の天命を全うすることが叶《かな》ったのは、わが身を捨てて主君を支えた数々の忠臣たち、そして引導《いんどう》を渡す代わりに守り刀となってくれた藤四郎吉光の短刀のおかげだったのだ。

家康の命を救った一口《いっこう》のその後は不明だが、若き日の神君に腹を切らせず天下を取らせた霊験《れいげん》が世に喧伝《けんでん》された結果、諸大名はこぞって吉光作の短刀を求め帯用《たいよう》したとのことである。

将軍家信国《しょうぐんけのぶくに》　影がうすい六代将軍家宣《いえのぶ》ゆかりの脇差《わきざし》

たった四年間の将軍様

家康《いえやす》・秀忠《ひでただ》・家光《いえみつ》によって確立された幕藩体制は、その後も順調に存続した。

三代家光の治世下では未だに色濃く残っていた戦国の遺風も、元禄《げんろく》文化が花開いた五代綱吉《つなよし》の時代には完全に廃《すた》れ、為政の方針が武断《ぶだん》から文治《ぶんち》に切り替えられた徳川《とくがわ》政権は安泰となるに至った。

若き日に名君と謳《うた》われた綱吉が後半生に至ってから生類憐《しょうるいあわれ》みの令を発し、本来の目的だったはずの放生《ほうじょう》思想（生命の尊重）から外れた形で、庶民の生活に悪弊を及ぼしたのはよく知られている。並外れた動物愛護に振り回され、江戸市中の世情が不安定となった時期を経て、六代**徳川家宣**（一六六二〜一七一二）に代替わりする。

将軍になる前の家宣は、有事に際して江戸防衛の要《かなめ》となる甲府《こうふ》城の主《あるじ》だった。当時の側室・右近《うこん》の方《かた》との間に嫡男の家千代《いえちよ》が誕生したとき、幕臣の松平伊予守綱政《まつだいらいよのかみつなまさ》より来《らい》信国作の脇差が献上されている。

刃長《じんちょう》が実測三六・六六センチメートル、反《そ》り〇・六一センチメートルの脇差は、家千代と家宣が世を去った後も昭和の世に至るまで末永く徳川家に秘蔵されていたという。ちなみに、松平綱政は没後に文昭院《ぶんしょういん》の法号を贈られた家宣のため、御霊屋《みたまや》の造営に従事している。

作刀者の信国は、建武《けんむ》～貞治《じょうじ》年間（一三三四～六八）の京の刀工で、その作風は相州正宗《そうしゅうまさむね》の高弟（養子とも）だった彦四郎貞宗《ひこしろうさだむね》の流れを汲む相州伝《そうしゅうでん》だ。但馬国《たじまのくに》の法《ほう》城寺国光《じょうじくにみつ》、備前元重《びぜんもとしげ》とともに貞宗三哲《さだむねさんてつ》のひとりに数えられた信国の作刀は、師直伝《じきでん》の巧みな刀身彫刻が特徴とされており、刀身の表（脇差は刃を上に向けて帯の間に差すが、このとき、体の外側に来る面のこと）に二筋の細い樋《ひ》が、裏には素剣《すけん》の浮き彫りと添樋《そえび》がそれぞれ施《ほどこ》されている。

短寸の刀身に精緻《せいち》な技が凝縮された将軍家信国は、不幸にして短命に終わった六代将軍の生前を偲《しの》ばせる一振《ふ》りといえるだろう。

鈞命打主水正藤原正清《きんめいちもんどのしょうふじわらのまさきよ》・主馬首一平安代《しゅめのかみいちのひらやすよ》

作刀コンペを制した薩摩《さつま》隼人《はやと》

名君吉宗《よしむね》のサムライ志向

初代家康を例外とするならば、八代**徳川吉宗**《とくがわよしむね》（一六八四〜一七五一）は徳川十五代のなかで最も知名度の高い将軍だろう。急逝《きゅうせい》した六代家宣《いえのぶ》が着手しかけたままになっていた政《まつりごと》の刷新を仕切り直すうえで、「権現様《ごんげんさま》」すなわち家康の時代への復古を旗印に掲げ、精力的に享保《きょうほう》の改革を断行した吉宗は、まさに徳川中興《ちゅうこう》の祖《そ》と呼ぶにふさわしい。

剽悍《ひょうかん》な六尺《しゃく》（約一八〇センチメートル）の巨漢だった吉宗は武芸全般を好み、剣術と不可分のアイテムである刀剣にも強い関心を示していた。

改革の一環として全国各地の優秀な刀工を集め、将軍家の御用邸である浜離宮《はまりきゅう》にて享保五年（一七二〇）より開催された刀工の競作会『浜御殿鍛錬《はまごてんたんれん》』は、刀をただ単に鑑賞するだけではなく、武具と認識していたい吉宗の個人的な趣向が反映されたものだったといえよう。

入賞者には褒賞金に加えて自作の刀の茎《なかご》に徳川家の一葉《ひとつば》葵紋《あおいもん》を切る特権まで与えられるとなれば、腕に覚えのある名匠たちが藩と流派の威信を背負い、御前試合《ごぜんじあい》に臨まんとする剣豪さながらに発憤《はっぷん》したであろうことは想像に難くない。

鍛刀の奨励と技術向上、さらには士風の鼓舞《こぶ》を目的とする吉宗の『浜御殿鍛錬』で勝ち抜き、大いに名を高めた刀工としては、藤原正清と一平安代が挙げられる。

ともに薩摩の出身で、作刀年代はともに享保年間（一七一六〜三六）。古《いにしえ》の名刀ばかりに固執せず、慶長《けいちょう》元年（一五九六）以降の新刀《しんとう》と呼ばれた江戸時代産の刀を重んじた吉宗の眼鏡に叶《かな》ったことで、後世に名を残したのである。

将軍様の佩刀《はいとう》を鍛《きた》えよ

享保六年（一七二一）に同時入賞を果たした両名は、吉宗のための佩刀を鍛えるという大任を託された。吉宗は二振《ふ》りの出来映《できば》えに喜び、正清に主水正、安代に主馬首の官名を与えている。

刀工が名乗る官名（受領名《ずりようめい》）は、本来、朝廷の認可のもとに授けられるのが基本である。吉宗の行為はいわば越権だったのだが、ふつう「××守《かみ》」などと国名が入るところを巧みに避け、無難なものを選んだのであろう。

任官の内実がどうだったのかはともあれ、薩摩へ帰国した後も、正清は「主水正藤原正清」、安代は「主馬首一平安代」の銘《めい》に添えて一葉葵紋を自作の茎に切り、吉宗の期待に応えて精進した。

表題の「鈞命打」は、本来、天皇の命令で鍛えた刀のことだが、正清と安代の場合は八代将軍たる吉宗の意を汲んで、それぞれ作刀したものだ。江戸時代には天皇の呼称である「御上《おかみ》」などが将軍を意味することばとして用いられていたため、取り立てて不自然なことではない。

将軍家伝来の一振りとして現存する正清の鈞命打は、刃長《じんちよう》が実測七六・六六センチメートル、反《そ》りが一・二一センチメートル。茎の年紀《ねんき》銘から享保九年（一七二四）の作と分かる。献上に及んだのは翌年の三月で、安代も同時に一振りを鍛えたという。

鶴岡八幡《つるがおかはちまん》の正恒《まさつね》

どうして吉宗は名刀を手放したのか？

奉納された名刀たち

伊勢神宮《いせじんぐう》や日光東照宮《にっこうとうしょうぐう》を始め、徳川《とくがわ》将軍家より全国各地の神社仏閣へ寄進された名刀は数多い。ここで紹介するのも、八代**徳川吉宗《よしむね》**（一六八四〜一七五一）の奉納刀として現存する一振《ふ》りだ。

源氏の氏神《うじがみ》として名高い八幡大菩薩《はちまんだいぼさつ》が祀《まつ》られた鎌倉《かまくら》の鶴岡八幡宮には、吉宗が社参したときに納めたという青江《あおえ》正恒作の太刀《たち》が国宝として安置されている。作刀者の正恒は古備前物《こびぜんもの》と総称される平安時代の備前鍛冶のひとりで、古青江派《こあおえは》に属する長徳《ちょうとく》年間（九九五〜九九）の刀工だ。

刃長《じんちょう》は実測七八・二センチメートル、反《そ》り三・〇センチメートル。磨《す》り上《あ》げが施《ほどこ》されておらず、平安の昔そのままの優美な姿をとどめている。現存する正恒の作刀では最も出来がよく、保存状態も健全無欠と絶賛される。

これほどの名刀を所有しておきながら、たとえ寄進するためとはいえ、吉宗はなぜ手放したのだろうか。

将軍の前にひとりのサムライとして

吉宗は歴代の徳川将軍のなかでも稀代《きだい》の愛刀家だった。それも鑑賞する対象としてだけではなく、修めた剣術の要諦《ようてい》に従い、どのように扱えばよいのかについてまで興味を抱いていたといっていい。

自身も心形刀流《しんぎょうとうりゅう》の達人だった肥前平戸《ひぜんひらど》藩九代藩主・松浦静山《まつらせいざん》の『甲子夜話《かっしやわ》』によると、吉宗は試し切り《ためぎ》をさせた佩刀《はいとう》を血がついたまま城中へ持参させ、見かねた側近から苦言を呈されても、

「武《もののふ》に穢《けが》れと云《いう》は無《なき》ことなり（武士にとって血が不浄ということはないぞ）」

と喝破するほど、刀の実用性に並々ならぬ関心を示したという。

まさか人気時代劇『暴れん坊将軍』シリーズのように、悪人退治に自ら将軍家の御《お》

流儀《りゅうぎ》である柳生新陰流《やぎゅうしんかげりゅう》の剣技を振るっていたはずはあるまいが、為政者《いせいしゃ》である前にひとりの武者としての目で幾多の名刀に日々接していたのは間違いないだろう。

その吉宗が正恒の逸品をさらりと手放したのは、もちろん武神たる八幡大菩薩への信仰心があってのことだが、古《いにしえ》の長く重たい太刀では佩刀《はいとう》に向かず、無理に用いても習い覚えた剣術には適《てき》さない……という発想も働いていたためなのではないだろうか。

というのも、甲冑に身を固めて互いに低い体勢で斬り合う「介者《かいしゃ》剣術（戦場介者）」と、江戸時代に発達した平時にふだん着でいるときの危機管理の心得である「素肌《すはだ》剣術」は、まるで別物だからである。

まして、戦国乱世よりも遥か昔に作られた磨り上げが為されていない古刀《ことう》中の古刀となれば、万が一にも存命中に徳川の天下が揺らぎ出陣することになっても、満足には扱えまい。ひとりの武者として、己の実力を冷静に推し量ることができたであろう吉宗ならば、そのように考えていたとしても不思議ではない。

いっそのこと太刀から刀（打刀《うちがたな》）に作り替えてしまえばよいではないか、と考えたくもなるところだが、昔も今も刀剣を愛好する者なら誰もが皆、よほどの必要に迫られてでもいない限り古の名刀を無下に短縮加工するには忍びないだろう。

合戦が日常茶飯事だった戦国武者ならば、落命するときは愛刀とともに……と考え、身につけることを最優先したであろうが、吉宗が生きていたのは家康《いえやす》を始めとする歴代将軍が営々と築き上げてきた平和な時代だ。そのままでは佩刀には適さないとなれば執着せず、八幡大菩薩の社に寄進し奉ろうという結論に至ったとしても納得できる。

むろん、それはおびただしい数に達する古今の名刀を所有しており、幕府の刀剣《とうけん》極所《きわめどころ》を代々務めた本阿弥《ほんあみ》家に編纂させた全国諸藩の秘蔵刀一覧『享保名物帳《きょうほうめいぶつちょう》（牒）』をガイドブックに替えて、諸大名家の逸品までも望みのままに借り受け鑑賞することが可能な立場だった吉宗だからこそ、あり得る話である。

南紀重国《なんきしげくに》　名君であれ名刀であれ、幕府の瓦解《がかい》は防げなかった

徳川《とくがわ》十五代最後の将軍

徳川最後の将軍となった十五代**徳川慶喜《よしのぶ》**（一八三七～一九一三）は、時代の犠牲者ともいうべき人物だ。

一個人として決して無能だったわけではない。世に「烈公《れっこう》」と謳《うた》われた水戸《みと》藩九代藩主・徳川斉昭《なりあき》の七男として文武両道を鍛えられ、知力も体力も、そして容姿も人並み優れていた。意外なところでは、仙台《せんだい》藩から伝わった願立流《がんりつりゅう》の手裏剣術《しゅりけんじゅつ》に精通し、専用の折り畳み式・組み立て式の車型《くるまがた》手裏剣まで持っていた。

しかし、内憂外患《ないゆうがいかん》の極みとなった時代にめぐり合わせ、政治機構として限界を迎えていた幕藩体制を、すでに諸外国との和親・通商条約が実効されて久しい状況のもとで存続させていくのは、何人《なんぴと》を以《もっ》てしてもまったく不可能なことであった。

このような情勢のなかで、本人が望むと望まざるとにかかわらず、御三卿《ごさんきょう》の一橋《ひとつばし》家の養嗣子《ようしし》として次期将軍候補に据《す》えられた慶喜にとって、紀伊《きい》徳川家は同じ血族でありながら誠に剣呑《けんのん》な存在だった。

男子のいない十三代家定《いえさだ》の継嗣《けいし》問題をめぐって紀伊徳川家と対立したために、慶喜は隠居謹慎を命じられている。そして、安政《あんせい》五年（一八五八）に家茂《いえもち》が十三歳で新将軍となる。幼くして将軍職に就《つ》くまで家茂は紀州《きしゅう》の和歌山《わかやま》藩主であり、当時の紀伊徳川家の勢力絶対だった。

それから程なく、紀伊派に与《くみ》する彦根《ひこね》藩の十三代藩主で、大老《たいろう》として安政の大獄《たいごく》を断行した井伊直弼《いいなおすけ》が桜田門外の変にて横死《おうし》。確実に幕府の権威が失墜《しっつい》していくなか、かねてより政《まつりごと》への発言権を得ていた薩摩《さつま》藩の献策で文久《ぶんきゅう》の改革が始まった。そして文久二年（一八六二）に、慶喜は家茂の後見職《こうけんしょく》に登用される。

徳川家を渡り歩いた一振《ふ》りの刀

かくして慶応《けいおう》二年（一八六六）には十五代将軍となるに至った慶喜だったが、すでに幕藩体制の終焉《しゅうえん》は目前だった。古《いにしえ》の名君たちのように将軍一個人の意志を押し通すことで政の刷新が望めるような余地はもはや完全になくなっていたのである。

因縁の紀伊徳川家より初代南紀重国作の刀（打刀《うちがたな》）が献上されたのは、慶応四年（一八六八）一月、鳥羽伏見《とばふしみ》の戦いのときのことだった。

刀身は、刃長《じんちょう》が実測七三・〇センチメートル、反《そ》り二・四センチメートル。刀にしては反りが深い堂々たる姿だと評されている。作刀者の重国は和歌山藩が初めて登用した御抱《おかかえ》鍛冶で、慶長《けいちょう》年間（一五九六〜一六一五）の初代から幕末の十一代まで代々仕えてきた、いわば藩主子飼いの刀工一門だ。

初代重国は大和国《やまとのくに》の名門・手掻《てがい》派の流れを汲《く》む一方で、幻の名匠・郷義弘《ごうよしひろ》の作風を写し取ることも得意とした。天下三名工《てんかさんめいこう》のひとりに数えられた義弘は、鎌倉時代末期の元応《げんおう》年間（一三一九〜二一）の越中国《えっちゅうのくに》に実在した人物ながら、作刀が後世にほとんど伝わっていない。ちなみに慶喜に献上されたのは現重要文化財で、郷写しの最高作と評される逸品である。

時の和歌山藩十四代藩主・徳川茂承《もちつぐ》が、なぜにこの一振《ふ》りを献上品に選んだのかは定かでない。

紀伊徳川家の誇りともいうべき南紀重国をかつて対立した十五代将軍へ献上するに及んだのは、たとえ形勢逆転の力とはなり得ないまでも、純粋な支援の意志を顕すためだった……と見るべきであろうか。

いかなる名君であれ名刀であれ、幕末の時勢を切り開く用は為さなかったが、大政《たいせい》を奉還《ほうかん》して野《や》に生きる身となった後も、慶喜は重国の刀を終生愛蔵している。

伝承・怪談の名刀

夏の猛暑を思わず忘れさせる怪談に限らず、わが国の民間伝承には刀にまつわる話が数多い。

たとえば、「源平の名刀」のところで取り上げた髭切《ひげきり》・膝丸《ひざまる》のエピソードにしても、その内容は名刀による化け物退治である。また、名高い逸品という点にさえこだわらなければ、無惨に殺された者の霊魂が復讐へと乗り出す怪談話に凶器としての刀はつきものだ。

本章では、刀そのものが主役であると同時に、不可思議な伝承や怪談にまつわる五つのエピソードを取り上げた。

すべてが恐ろしくて身の毛のよだつ話というわけではないが、所有した者の独力だけではなく、予期することのできない人智《じんち》を超えた別の力が作用することでさまざまな怪異が生じ、その結果として登場する刀の名が後世にまで語り伝えられたケースを選んでみた。

名刀の由来と伝説のしめくくりとして、ご一読願いたい。

小狐丸《こぎつねまる》　狐の相槌《あいづち》で鍛《きた》えた伝説の一振《ふ》り

実在の名刀と架空の氏神《うじがみ》の逸話

時は平安時代の初期。洛中《らくちゅう》にその名が聞こえた永延《えいえん》年間（九八七〜八八九）の名匠・三条宗近《さんじょうむねちか》（生没年不詳）作の一振りに、御剣《ぎょけん》として作られた小狐丸なる太刀《たち》が存在したという。時の帝《みかど》より下賜《かし》されたのか、摂関《せっかん》政治で栄華を誇った藤原《ふじわら》一族の名門・九条《くじょう》家が秘蔵したといわれるが、現在は杳《よう》として行方が分からない。

小狐の異名《いみょう》は、宮中より作刀を命じられたものの、満足のいく太刀が打てないままに苦しんでいた宗近を助けるため、彼が氏神として信心する稲荷明神《いなりみょうじん》、つまり狐を眷属《けんぞく》とする神が降臨したとの故事に由来する。

謡曲《ようきょく》『小鍛冶《こかじ》』によると、稲荷明神は、当初、童子の姿で悩める宗近の前に現れたことになっている。理想の太刀を打ち上げるべく、一抹《いちまつ》の光明を求めて伏見《ふしみ》の稲荷明神を訪れた名匠に、不思議な少年は相槌を務めましょうと持ちかけてきたのだ。何者か定かでないものの、気高い雰囲気を漂わせる童子の話に宗近は首肯《しゅこう》し、鍛刀《たんとう》の相手役として槌《つち》を握らせる。

親槌《おやづち》と呼ばれる刀工を補佐する相槌は弟子の役目だが、熱された鉄を正確に、かつ力強く打ち鍛えるため、切り株の一カ所を繰り返し打ちつける稽古だけでも優に一年はかかる。まったくの素人《しろうと》にいきなりできるはずもなかったが、童子の腕の程は並々ならぬものだった。

かくして見事な太刀が打ち上がったのを見届けて正体を現した稲荷明神は、宗近を残して飛び去っていく。氏神の霊験《れいげん》のおかげで満足を得るに至った一振りを、宗近は謹《つつし》んで「小狐丸」と名づけたのだった。

刀工が神の力を借りて名刀を打ち上げる話は、八幡大菩薩《はちまんだいぼさつ》の神託に基づいて鍛刀した結果、見事な切れ味と戦勝の効力を発揮して源氏の重宝《じゅうほう》となった髭切《ひげきり》・膝丸《ひざまる》（後の鬼切《おにきり》・蜘蛛切《くもぎり》）の由来にも見受けられる。しかし、神が自ら人間に変化《へんげ》して手伝ったというのは、この小狐丸をおいては他にない。

にっかり青江《あおえ》　あな恐ろし、にっかり笑う妖女の首が……

幽霊斬りの由来

酒呑童子《しゆてんどうじ》退治で知られる童子切安綱《どうじぎりやすつな》を筆頭に、化け物を倒したと伝えられる逸品は数多いが、幽霊に一太刀《ひとたち》浴《あ》びせたという由来を持つ名刀は珍しい。

江戸時代に讃岐丸亀《さぬきまるがめ》藩の藩主だった京極《きようごく》家に永らく秘蔵され、太平洋戦争後に流出してから数十年を経て、かつての藩領である香川県丸亀市へ戻ってきた備中青江《びつちゆうあおえ》派《は》作の大脇差《おおわきざし》、通称「にっかり青江」は、そんな幽霊斬りの一振《ふ》りだ。

備中国《びつちゆうのくに》で栄えた青江派の歴史は古い。平安時代末期の保安《ほうあん》年間（一一二〇～一一二四）に古《こ》青江派が勃興してから、中《ちゆう》青江派が南北朝時代の応永《おうえい》年間（一三九四～一四二八）まで続き、以降も末《すえ》青江派として存続した。

いずれの派に属する刀工が手がけたのかは不明だが、二尺《しやく》五寸《すん》（約七五センチメートル）の太刀から二尺（約六〇センチメートル）の刀（打刀《うちがたな》）、さらには二尺を切る一尺九寸九分《ぶ》（約五九・七センチメートル）の大脇差《おおわきざし》にまで短く磨《す》り上《あ》げられているとはいえ、江戸時代には代付《だいづけ》、つまり参考価格で、値がつかないという意味の「無《む》代《だい》」という折紙《おりがみ》をつけられたほどの極上品だ。

鑑定したのは徳川幕府お抱えの刀剣極所《とうけんきわめどころ》である本阿弥《ほんあみ》家だが、依頼者との利害関係から高く転売するのが可能な額を査定したわけではなく、誰であれ容易には手が出せない「天井知らず」と判じたとなれば、まさに破格の評価だろう。

歴代所有者には、柴田勝家《しばたかついえ》、丹羽長秀《にわながひで》、そして豊臣秀吉《とよとみひでよし》と、織田信長《おだのぶなが》の麾下《きか》で鎬《しのぎ》を削った武将たちが名を連ねるが、幽霊を斬ったと伝えられるのは勝家の前に所有していた近江国《おうみのくに》の某《ぼう》武士だ。

正確な名前は江戸時代の研究でも特定されるには至っていない。土豪《どごう》の中島修理太《なかじましゆりだ》夫《ゆう》・九理太夫《くりだゆう》兄弟、秀吉の家臣で近江二万石を領有した浅野長政《あさのながまさ》の家臣、近江の南半分を勢力圏とした六角《ろっかく》（佐々木《ささき》）義賢《よしかた》に仕えた狛《こま》（駒）丹後守《たんごのかみ》の三説が唱えられているが、全員が近江国の在住者で、妖艶な女の幽霊に夜道で遭遇して抜き打ちに首を斬って飛ばしたという点がことごとく共通している。

妖刀《ようとう》を欲する戦国の武将たち

声を出さずに笑うこと、特に女性の笑顔を指す言葉が異名《いみよう》とは不可解だが、この名刀の由来に登場するのは、まさに「にっかり」した妖女である。女の幽霊といえば憤怒《ふんぬ》の形相か無表情というのが相場だろうが、武士を、それも中島兄弟を除けば、有事には自ら刀槍を振るう戦闘要員を相手に、どうして婉然《えんぜん》と微笑みかけてきたのかは定かでない。

いずれにしても、幽霊の首を抜き打ちに斬ったとは、平安の世に女鬼の茨木童子《いばらきどうじ》の誘惑に取り込まれることなく腕を斬り飛ばした頼光《らいこう》四天王の筆頭・渡辺綱《わたなべのつな》を彷彿《ほうふつ》させる豪勇の士といえよう。

にっかり青江は、柴田勝家が北近江の三郡を支配したことで、前の持ち主より彼の手に渡ったが、信長の後継者の座をめぐる秀吉との争いに端《たん》を発する天正《てんしよう》十一年（一五八三）の賤ヶ岳《しずがたけ》の戦いに敗北して勝家は自害。養子の権六《ごんろく》も秀吉に与《くみ》した丹羽長秀に討たれ、父の生前に受け継いでいた幽霊斬りの名刀は戦利品として奪い取られた。

長秀から秀吉に献上された後、どうして京極家が代々秘蔵する運びとなったのかについてだが、関ヶ原の戦い（一六〇〇）直前に離反するまで豊臣氏に忠誠を示した京極高次《たかつぐ》の恩顧に応え、秀吉の息子の豊臣秀頼《ひでより》が与えたのではと見なされている。

幽霊斬りという恐ろしげな由来がまったくマイナスイメージにはつながらず、それと名の知られた武将たちが求めてやまなかったあたりに、なんとも豪胆《ごうたん》な戦国武士らしさが感じられる。

蛍丸国俊《ほたるまるくにとし》　蛍が治した戦《いくさ》の疵痕《きずあと》

倒幕ののろしを挙げた九州の名族

蛍丸の異名《いみょう》が冠《かん》せられた来《らい》国俊作の太刀《たち》は、鎌倉幕府の打倒から南北朝の動乱へと至る渦中において、九州は肥後国《ひごのくに》で南朝方として戦った**阿蘇惟澄**《あそこれずみ》（?～一三六四）の遺愛刀だ。

阿蘇氏は肥後阿蘇神宮の大宮司《だいぐうじ》であると同時に、元は国造《くにのみやつこ》、すなわち豪族の立場で朝廷より現地の行政を任された地方官だった。同族の恵良《えら》氏に生まれ、養子として阿蘇家を継いだことにより、惟澄はかつて朝廷の武官を代々拝命してきた名族の当主となったのだった。

この時代は朝廷の実権が押さえ込まれ、鎌倉幕府の地方行政機関である鎮西探題《ちんぜいたんだい》が肥後の地を管轄していた。その命を受け、河内国《かわちのくに》の千早《ちはや》城にて反幕府の兵を挙げた楠木正成《くすのきまさしげ》を攻撃することになった惟澄は本州へ渡るが、河内へ進軍する途上で後醍《ごだい》醐《ご》天皇の皇子《みこ》である護良親王《もりよししんのう》が発した令旨《りょうじ》を受ける。先祖代々の恩顧ある朝廷に味方しようと決意した惟澄は一転して肥後へ舞い戻り、倒幕ののろしを挙げる。

鎌倉幕府の滅亡後、足利尊氏《あしかがたかうじ》は朝廷主導で進められた建武《けんむ》の新政《しんせい》に不満を抱く武士勢力を結集して反抗し、北朝を成立。対する後醍醐天皇は南朝を称し、こちらも武士を味方につけることになる。

尊氏に敗れ果てて……

阿蘇惟澄は、九州では菊池《きくち》氏と並ぶ南朝方の重鎮《じゅうちん》だった。

建武三年（一三三六）三月、本州で南朝方との戦いに連敗した尊氏が巻き返すべく九州上陸を目指したとき、菊池・阿蘇連合軍は多々良浜《たたらはま》で尊氏を迎え撃っている。地の利に長《た》けているはずながら、風下《かざしも》に陣を敷いてしまった惟澄らは、浜の砂塵《さじん》に見舞われて苦戦を強いられ、尊氏軍に押されていく。

このときに大将の惟澄が自ら振るったのは、刀身が三尺《しゃく》三寸《すん》四分《ぶ》五厘《りん》（約一〇〇・三五センチメートル）にも及ぶ、来国俊作の大太刀《おおだち》である。

作刀者の国俊は、鎌倉時代中期から京で栄えた来一門の出身で、活躍した年代は正応《しょうおう》年間（一二八八〜九三）。父の国行《くにゆき》と兄の二字国俊《にじくにとし》は、幕府の命を受けて、元寇《げんこう》の折に必要とされた長尺の太刀を量産したことで知られる。

惟澄所有の大太刀は、茎《なかご》に「永仁《えいにん》五年三月一日」の銘《めい》があったことから、製作されたのは西暦一二九七年と見なされる。すでに元寇は弘安《こうあん》四年（一二八一）七月を最後に止《や》んでいたが、いつ再び襲ってくるかわからない外敵の存在に怯え、わが国の世情が未だに不安だった時期である。

惟澄は二度にまで及んだモンゴル軍の襲撃に勇敢に立ち向かった九州武士の末裔だ。国俊作の大太刀はまさにふさわしい得物《えもの》だったが、上陸作戦が成功しなくては後がない尊氏軍の猛攻の前に、ついに敗走を余儀なくされてしまう。

あちこちが刃こぼれした大太刀を手にした惟澄は、生き残った兵たちとともになんとか阿蘇までたどり着き、居館《きょかん》で深い眠りに落ちた。

そこで見たのが、不思議な夢である。

おびただしい数の蛍が疵だらけの愛刀にまとわりつき、明々《あかあか》と光を放っては消える光景を脳裏に見て目を覚まし、帰還してそのままの大太刀の鞘《さや》を払ってみると、まるで研ぎ上げたかのように刀身がきれいになっていた。

その後、阿蘇氏は南北朝の動乱を辛《から》くも生き延び、足利幕府の天下となってからも末永く存続している。

霊験《れいげん》で修復された大太刀は「蛍丸」の異名を冠せられ、その後も永きにわたって阿蘇一族に伝えられた。昭和六年（一九三一）には国宝指定を受けたが、終戦後の混乱のなかで失われ、今も行方不明になったままである。

村正《むらまさ》　徳川《とくがわ》家を苦しめた妖刀《ようとう》の代表格

村正の呪怨《じゅおん》

村正の刀は、妖刀の代名詞となっている。

室町時代末期から戦国乱世にかけて、応永《おうえい》年間（一三九四〜一四二八）の伊勢国《いせのくに》で活躍した千五《せんご》村正は刀と短刀の両方を、一門の正重《まさしげ》は永享《えいきょう》年間（一四二九〜四一）に短刀を主に手がけた。

村正の作が妖刀と呼ばれるのは、**徳川家康《いえやす》**（一五四二〜一六一六）とその一族に代々にわたって災禍をもたらしたというのが理由だった。

家康の出自は三河国《みかわのくに》の松平《まつだいら》氏だが、祖父の松平清康《きよやす》は合戦場の混乱のなかで、父の広忠《ひろただ》は城中で乱心した家臣に襲われ、そして家康が期待をかけてやまなかった嫡男の信康《のぶやす》は織田信長《おだのぶなが》の意向でやむなく詰《つ》め腹《ばら》を切らされたときの介錯《かいしゃく》と、いずれも村正作の刀にかかって不幸な死を遂げた。

家康自身も、今川《いまがわ》氏の人質として暮らしていた少年時代に村正の短刀で誤って手を切ったことがあり、関ヶ原《せきがはら》の戦い（一六〇〇）の勝利後には槍でやはり指を傷つけている。

槍の事故は、織田信長の甥で徳川軍に加わっていた織田長孝《ながたか》に恩賞を授けるために、西軍の将の戸田重政《とだしげまさ》を討ち取った名槍《めいそう》を首級《しるし》ともども検分している最中の出来事だったが、それが村正の作と知った家康は席を蹴って去ったという。

刀と短刀、そして乱世の刀工の多くが手がけた槍までがことごとく槍玉《やりだま》に挙がっているとなれば、単なる偶然では片づけられないのかもしれない。

徳川の天下となった後、全国諸藩の大名たちは村正の刀を持つのを憚《はばか》り、すでに所有している者は口外を慎んだという。

幕末に勤王《きんのう》派の間で大流行

とはいえ、すべての大名が自前の槍をその場で折り捨てた織田長孝のように家康の権威を畏《おそ》れ、遠慮したわけではあるまい。一般の武士、それも徳川幕府の存在を快く思わぬ者たちとなれば、なおのことだった。

幕末を迎え、勤王の志士《しし》の間では村正の刀が流行した。人気に当て込んでの偽作《ぎさく》も多かったといわれるが、大枚《たいまい》を散じてまで入手したい者が後を絶たなかったのは、徳川一族に祟《たた》るという伝承を踏まえ、徳川の天下を覆すのに役立つ利刀《りとう》と見込んだからに他ならない。斬り合いで実用に供《きょう》するためだけでなく、守り刀としても恃《たの》むに足る存在だったといえよう。

そんな村正は、生前の当時、南朝の後醍醐《ごだいご》天皇を信奉して作刀に励んだ勤王鍛冶というべき人物だった。徳川将軍家にとっては妖刀でも、天皇家の権威を仰ぐ者たちにとっては時代を超えた価値を持つステイタスシンボルだったのだ。

波泳《なみおよ》ぎ兼光《かねみつ》　いつ斬られたのかわからないほどの切れ味

時間差の斬撃《ざんげき》

怪異な由来を持つ名刀のしめくくりとして、切れ味鋭い利刀《りとう》を紹介しよう。刀剣を愛好する点では好敵手の武田信玄《たけだしんげん》はむろんのこと、中央の戦国武将たちにも引けを取らない数々の名刀を秘蔵した**上杉謙信**《うえすぎけんしん》（一五三〇〜七八）のもとには、備前《びぜん》長船一門《おさふねいちもん》の作刀が多く集まっていた。

長尺の刀を好んだ謙信は、鎌倉時代後期に作られた太刀《たち》に磨《す》り上《あ》げをほとんど施《ほどこ》さなかったようで、現存する品は多少の短縮加工がされていても、三尺《しゃく》（約九〇センチメートル）前後ときわめて長い。

謙信は六尺（約一八〇センチメートル）近い偉丈夫《いじょうふ》だったといわれるだけに、身長に照らせば無理なく扱える刃長《じんちょう》だが、さすがは戦一途《いくさいちず》に生きた越後《えちご》の虎である。

実権を失っていた関東管領《かんとうかんれい》の上杉姓を数々の名刀とともに受け継ぎ、乱世屈指の武闘派大名として大いに高めた謙信の愛蔵品に、二代長船兼光《かねみつ》作の太刀があった。

二代兼光は延文《えんぶん》年間（一三五六～六一）の刀工で、鎌倉時代末期から南北朝時代に活躍した初代（大《おお》兼光）の後を受け継ぎ動乱の時代に合わせて手がけた豪壮な太刀は、後世に謙信だけでなく福島正則《ふくしままさのり》など数々の戦国武将にも好まれた。

とりわけ上杉家に伝来し、後に北九州の戦国大名・立花宗茂《たちばなむねしげ》が入手した一振《ふ》りは、斬られた者が川に飛び込んで逃げ、しばらく泳いだ後に首が落ちた、あるいは真っ二つになったために「波泳ぎ」と呼ばれたほど、その切れ味は鋭かったという。

いったい誰が振るったときのエピソードなのかは伝わっていないが、誰もが紙で手を切ったときでさえ瞬間的に痛いと感じるのに、長尺の刀で斬撃を浴《あ》びせていながらまったく気づかせないとは、並外れた遣《つか》い手である。

一方の説では、刀身彫刻を得意とした二代兼光による自作の竜の彫物が、あたかも波間を泳いでいくかのように見えることから波泳ぎの異名《いみょう》がついたとされる。

将軍にも見せなかったお宝中のお宝

いずれを信じるかはその人次第であるが、最後に押さえておきたいのは、波泳ぎ兼光が剣呑《けんのん》な武具としての他に宝剣としての価値を備えていたという事実だ。

立花家に渡った波泳ぎは、江戸時代を通じて重代《じゅうだい》の宝剣とされ、刀剣趣味で聞こえた八代将軍の吉宗《よしむね》がどれほど所望しても上覧《じょうらん》には供《きょう》されなかった。

徳川の天下となった後の立花氏は筑後《ちくご》柳河《やながわ》藩の外様《とざま》大名に過ぎなかったが、たとえ将軍家の不興《ふきょう》を買ってでも、代々の宝剣を召し上げられたくなかったのだ。柳河藩は宗茂の代から十万九千六百石を領有し、幕政に参加する権利を持たない外様とはいえ、一族としての矜持《きょうじ》を誇っていた。

幕末近くに至っては、立花氏は藩の剣槍術《けんそうじゅつ》師範《しはん》である巨漢剣士・大石進《おおいしすすむ》種次《たねつぐ》を藩命で江戸へ送り込み、数々の名門道場を撃破させるという一大デモンストレーションも行っている。もちろん、そうやって外様の意地を見せつつも、家中で波泳ぎ兼光に新たな血を吸わせるような愚行に走ったという伝承はない。

利刀伝説の一振りを武具ではなく、家宝と位置づけた姿勢が自ずと窺《うかが》われよう。

おわりに　名刀の条件

刀は大した武器ではなかった

数々の名刀にまつわるエピソードを読んできて、読者の皆様には何が見えてきたであろうか。少なくとも、刀といえば武器以外の何物でもない、という固定したイメージは揺らいできたことと思う。

本書で再三触れたように、古代から近世に至るまでの合戦場における刀は、実のところ、大した武器ではなかった。

合戦史研究者の鈴木眞哉氏は、『刀と首取り』（平凡社新書）を始めとする一連の著作において、軍記物《ぐんきもの》の古典に頻出する斬り合いは創作であり、刀剣は古代から近世まで、合戦の趨勢《すうせい》が決した後に手柄《てがら》の証拠品として死んだ敵の首を切断するときぐらいしか出番がなかったと論じている。

ちなみに、鎌倉時代の武士の日常をリアルに紹介した絵巻物《えまきもの》といわれる『男衾三郎絵詞《おぶすまさぶろうえことば》』をひもといてみても、白兵戦《はくへいせん》は矢を射かけ合った後のことと描かれており、鎧武者同士が太刀《たち》を振るっての斬り合いはたった一場面しか出てこない。それも薙刀《なぎなた》を折られるか落としたうえでのことらしく、他の武者は全員薙刀で戦っている。

鎧武者といえば古式《こしき》ゆかしい太刀を佩《は》いているイメージがあるが、長い太刀は抜くのに手間がかかるため、室町〜戦国時代の徒歩《かち》武者が短くて軽便な打刀《うちがたな》を装備するようになったという歴史的事実も見逃せない。

しかも、首の切断であれ格闘であれ、最も重宝されたのは太刀・打刀よりもむしろ素早く抜ける馬手差《めてざし》（短刀）というのが実態だった。

鉄炮《てっぽう》が伝来した戦国乱世においてさえ、普及率の高さゆえに主武器としての地位を一貫して保ち続けた弓《ゆみ》にはもちろん、遠い間合いを保ちながら敵と戦える長柄《ながえ》武器の槍《やり》と比べても、武器としての刀の性能は大きく劣っていた。

もちろん、乱世に剣豪《けんごう》と呼ばれた達人たちであれば、飛んでくる矢を切り払い、突いてくる槍を凌《しの》ぎ、間合いを詰めて逆転することも可能だったろうが、並の遣《つか》い手ではそれも難しい。とりわけ一対多数の戦いとなれば、不利きわまりないのは目に見えている。

刀が主役になった唯一の時代——幕末

そんな刀が束の間、時代の主役となったのは幕末の動乱の折である。

嘉永《かえい》六年（一八五三）のペリー来航に端《たん》を発する幕府の権威の失墜は、尊攘《そんじょう》派と佐幕《さばく》派の対立を生み、解決の手段として暗殺が横行した。鎖国体制下で平和が続いていた頃には危険でもなんでもなかった武士がテロリスト化し、その刀が凶器として白昼堂々と振るわれるようになり、京洛や江戸の各所でおびただしい血が流されるに至ったのだ。

なぜ、かくも刀が頻繁に用いられるようになったのだろうか。

当時の武士は皆、身分標章として、大小《だいしょう》の二刀（打刀と脇差《わきざし》）を携行していた。さすがに鉄炮や槍を持ち出せば、相手に一目で殺意を感づかれ警戒されるが、ただ単に身分を示すための持ち物、いわば一種の飾りとして帯刀《たいとう》しているだけならば、誰からも咎《とが》められることはない。

つまり、相手の不意を突いて暗殺する手段としては、刀による斬殺《ざんさつ》が最も有効だったわけである。

武器としての機能云々《うんぬん》以前に、武士の携行品としての一般性こそが、刀を暗殺の時代の主役たらしめた真の理由と見なすべきだろう。

しかし、合戦場でもなんでもない、そのあたりの街角や屋内が一瞬にして流血の現場に化すという未曾有《みぞう》の動乱がそうそう永く続くものではない。

幕末の動乱を自国で余った武器を売りさばく好機と見なした諸外国から、尊攘・佐幕派の双方に大量の近代火器がもたらされた結果、刀の時代は早々に終止符が打たれた。

なぜに名刀がもてはやされたのか？

ここで、ひとつの疑問が生じてくる。

幕末を例外とすれば、合戦場の主役でも何でもなく、天下太平の江戸時代では単なる身分標章でしかなかったにもかかわらず、どうして各時代の権力者は刀に尽きぬ執着を示したのだろうか。

たしかに刀は、そもそも闘争の場で用いられる武器でありながら、各時代の刀工が心血《しんけつ》を注いだ造形は美術品と呼ぶにふさわしい精緻《せいち》な輝きを放っている。武器であり美術品という異なる二面性を備えているというだけでも、まさに刀は稀有《けう》な存在といっていい。

しかし、名刀と呼ばれる刀は、そのどちらかの側面で割り切れるものではない。

本書でも触れたように、胴体を何体も両断するといった切れ味鋭い利刀《りとう》伝説を遺《のこ》した刀は数多いし、その造形美が世に喧伝《けんでん》された刀も枚挙に遑《いとま》がない。しかし、だからといって、かならずしも武器に美術品という二面性のみでその価値を語り尽くせるものではないだろう。

各時代に生きた権力者たちは、刀の武器としての機能、あるいは鉄の芸術としての造形美にのみ執着し、価値を見出してきたのとは違うのだ。

ここで、本書にて取り上げた具体例を振り返ってみよう。

天皇家は草薙剣《くさなぎのつるぎ》を三種《さんしゅ》の神器《じんぎ》のひとつと位置づけ、新天皇と皇太子の地位を不動のものとするために大刀契《だいとけい》と壺切御剣《つぼきりのみつるぎ》を、そして、朝敵《ちょうてき》を討つ権威を委任するあかしとしては節刀《せっとう》を用いた。

その天皇家の末裔たる立場を象徴する代々の宝、すなわち重宝《じゅうほう》として、源氏は鬼切《おにきり》と蜘蛛切《くもぎり》を、平家は小烏丸《こがらすまる》を伝えてきた。

源氏に次ぐ武家の棟梁《とうりょう》となった足利《あしかが》将軍家は、さらに古今の名刀を独自に集め、重宝と定めている。やがて十三代将軍の義輝《よしてる》が暗殺され、最後の十五代義昭《よしあき》が零落《れいらく》したのに伴って流出したそれらの名刀は、織田信長《おだのぶなが》を始めとする乱世の武将たちが所有するに至った。

名刀を重んじたのは、戦国乱世に終止符を打ち、幕藩体制を構築して二百六十年余も存続した徳川《とくがわ》将軍家も同様である。徳川家康《いえやす》は、豊臣《とよとみ》氏が保持していた名刀群を大坂落城後にすべて回収し、焼身《やきみ》を修復させてまでわが物とせずにはいられなかった。家康が個人として愛蔵した三池光世《みいけみつよ》は、東照大権現《とうしょうだいごんげん》の名のもとに神格化され、徳川幕府の守護刀とまで位置づけられている。

こうして大まかに振り返ってみると、名刀と呼ばれる刀は、歴代の所有者の権威のもとに価値が付与されてきたことがわかる。その権威を継承し、あるいは奪取して、権力の座に就《つ》いた者たちが新たな所有者となり、さらなる価値を積み重ねながら、次の時代へと名刀を伝えてきたのだ。

極論すれば、権力者と呼ばれた人々が刀を名刀たらしめ、バトンタッチしながらさらにその価値を高めていった、というわけである。

むすびに

ともあれ、五十振《ふ》りの名刀から見えてきたのは、それを欲し、ときとして奪いまでして家代々の宝とせずにいられなかった、それぞれの刀にまつわる主人公たちの生き様であった。彼らが生きた時代の息吹が、ありありと感じられたはずだ。

本書において、躍動感に満ち満ちた過去の時代を生きた男たちの芳醇《ほうじゅん》なドラマに触れることで、刀に対する興味をより膨らませていただけたならば、剣術の修業と時代小説の執筆に取り組むことで、古《いにしえ》の日本人の偉大な遺産である武道と日本刀の魅力を微力ながら後生に伝えていきたい筆者として、これ以上の喜びはない。

日本刀の種類と構造

■太刀《たち》

●刀身

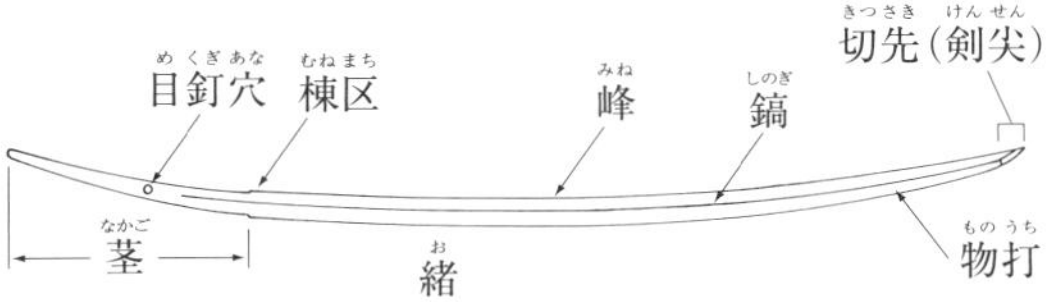

●拵《こしら》え
(外装)

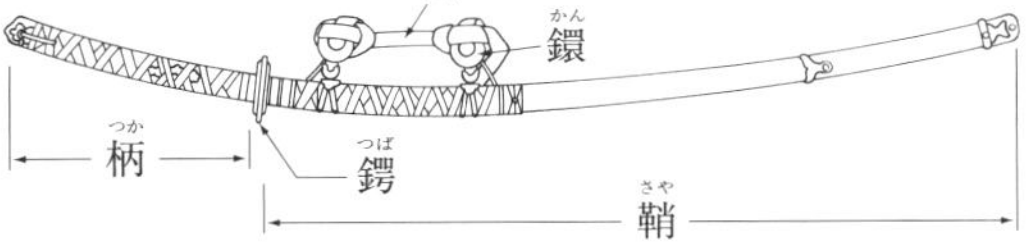

■刀《かたな》(打刀《うちがたな》)

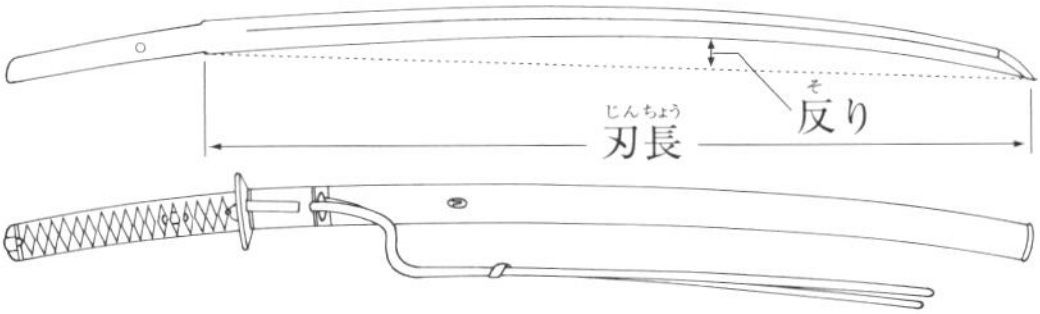

■脇差《わきざし》

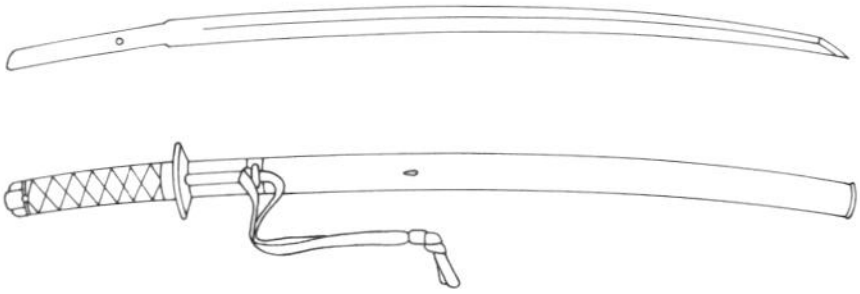

■短刀《たんとう》

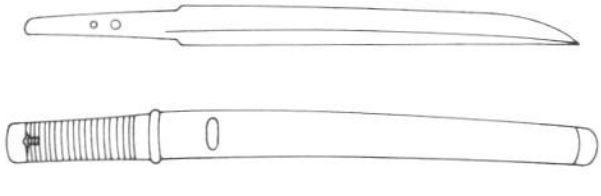

地肌

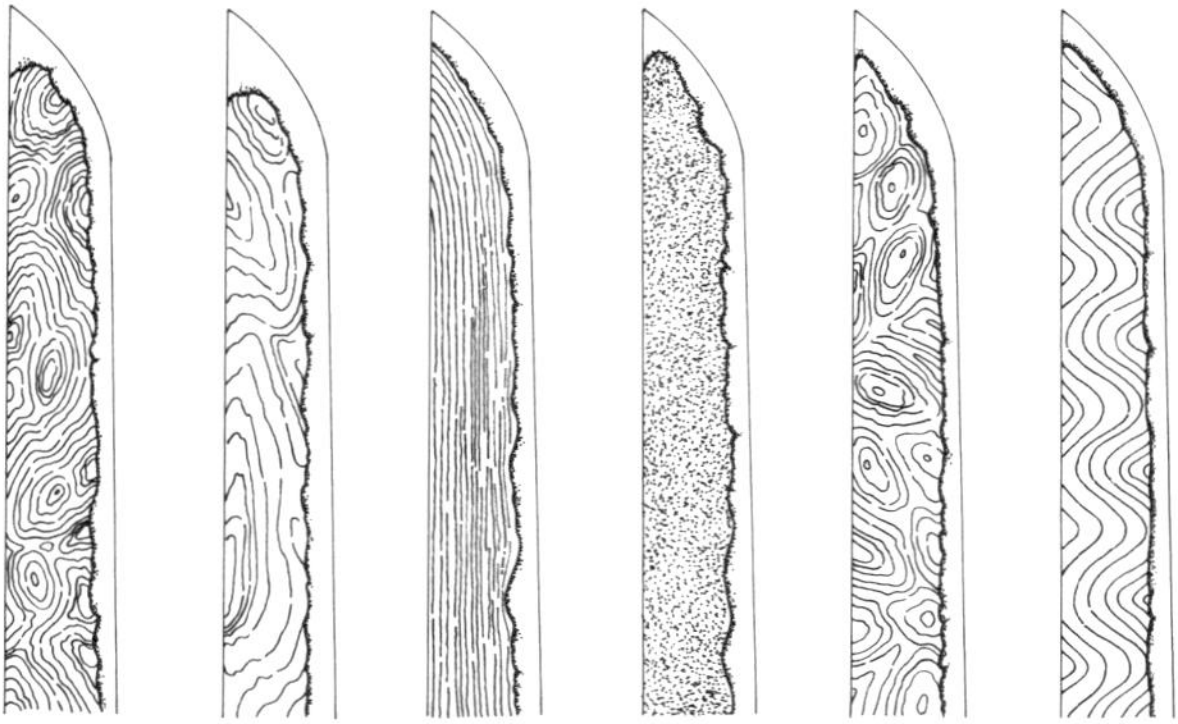

小《こ》板《いた》目《め》肌　大《おお》板《いた》目《め》肌　柾《まさ》目《め》肌　梨《な》子《し》地《ぢ》肌　杢《もく》目《め》肌　綾《あや》杉《すぎ》肌

刃文

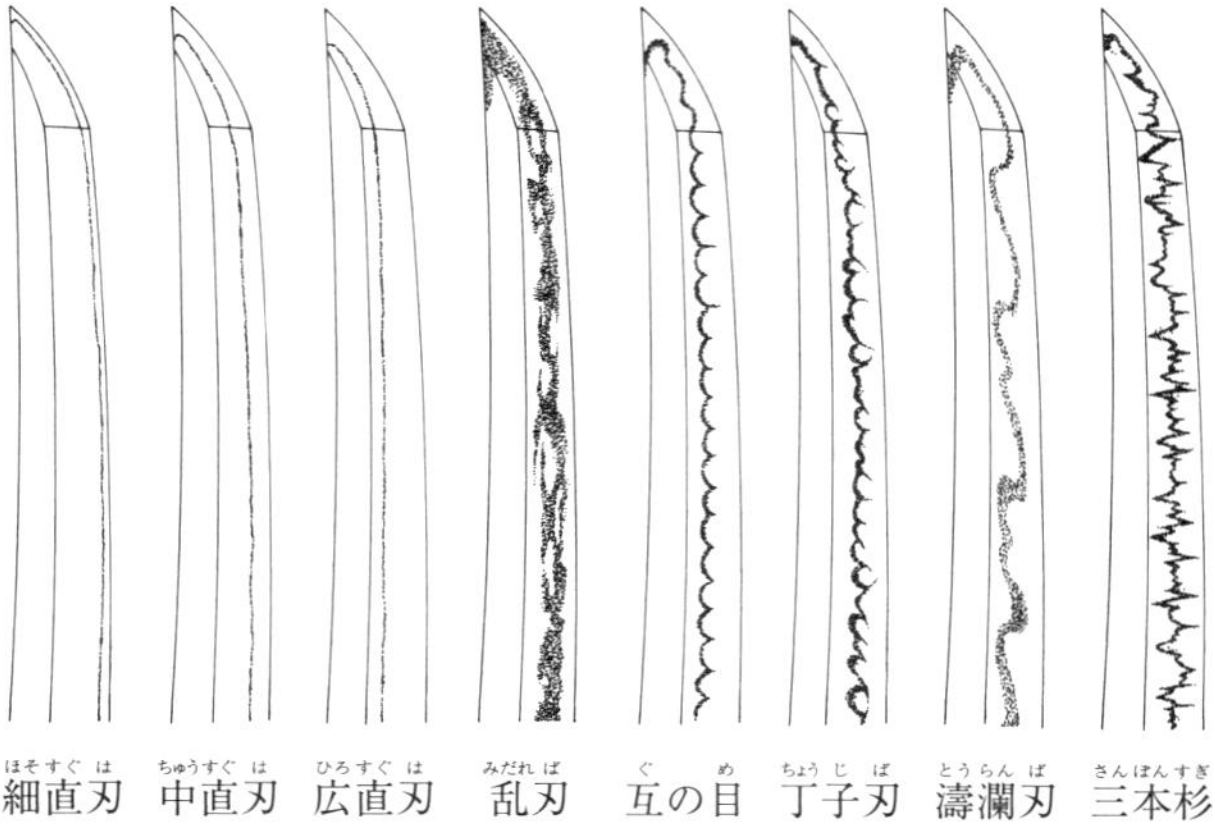

細《ほそ》直《すぐ》刃《は》　中《ちゅう》直《すぐ》刃《は》　広《ひろ》直《すぐ》刃《は》　乱《みだれ》刃《ば》　互《ぐ》の目《め》　丁子《ちょうじ》刃《ば》　濤《とう》瀾《らん》刃《ば》　三《さん》本《ぼん》杉《すぎ》

日本刀の基礎知識

本文中に頻出する刀剣用語の解説を以下にまとめた。

日本刀を楽しむための初歩の初歩となる知識を押さえ、この本を読み返す際の手引として参照いただきたい。

日本刀の種類

現行の銃刀法で、日本刀は太刀《たち》、刀《かたな》（打刀《うちがたな》）、脇差《わきざし》、短刀《たんとう》の四種類に大別される。これは法律上の区分であると同時に、わが国の刀剣のスタンダードなタイプと見なしてもらっていいだろう。

まず、日本刀の種類は刀身、すなわち、刃がついている部分を計った長さによって分類されている。二尺《しゃく》（約六〇センチメートル）以上が太刀および刀、一尺（約三〇センチメートル）以上、二尺未満が脇差。そして一尺未満が短刀となる。

太刀と刀では刀身そのものは変わらないが、柄《つか》、鍔《つば》、鞘《さや》と外装を装着し、携行するときに違いが出てくる。

一般に太刀を身につけることを「佩《は》く」といい、刀は「差《さ》す」という。佩くとは耳慣れない言葉かもしれないが、辞書を引くと、【は・く　身につける。腰につける。帯《お》びる】と出ている。

太刀であれ刀であれ、和装のベルトである帯を用いて腰（利き手を問わず、左腰が基本）に「帯びる」点では変わらないのだが、太刀は鞘に設けられた金属製の鐶《かん》に緒《お》というストラップを通し、帯の左腰の部分に緒を結びつけ、刃を下向きにして「佩」く。対する刀は、刃を上向きにして、直に帯をくぐらせて「差」す。故に、太刀は佩刀《はいとう》もしくは佩剣《はいけん》と呼び、刀は差料《さしりょう》と呼ぶのが正しい。

なお、どうして左腰と決まっているのかというと、集団で行動するのが前提の合戦場においては、ひとりだけ右腰に太刀を佩き、あるいは刀を差していては危険だったためといわれる。

個人で異なる身体的特徴を完全に無視するとはひどい話と思われるかもしれないが、武家社会の長年の慣習として、左利きの武士の子は厳しく右利きに矯正されるほど徹底していたとなれば、致し方あるまい。

ちなみに、太刀、刀、脇差は一振《ひとふ》り、短刀は一口《いっこう》と数える。

これも外装の違いに基づく呼び方で、俗に短刀が「あいくち（合口）」と称されるのは、外装に鍔がなく、鞘に納めれば柄と鯉口《こいぐち》（鞘の出入り口）がぴったりと合うためである。

時代による日本刀の分類

続いて、歴史上の分類を見ていこう。

古代〜平安時代初期には剣《つるぎ》、大刀《たち》、刀子《とうす》が作られた。剣と大刀は一般に七〇〜八〇センチメートルと長く、異なるのは剣は両刃《もろは》で大刀は片刃《かたば》という点である。後世の短刀に相当する刀子は、二五センチメートル前後と短い。そして、この三タイプは反《そ》りがない直刀《ちょくとう》という点で共通している。

反りのある彎刀《わんとう》は、平安時代中期から登場した太刀から始まった。ちなみに、ここでいう「直刀」「彎刀」とは、反りがあるかないかを意味する言葉で、日本刀の種類とは違うので誤解なきようにお願いしたい。

初めての彎刀となった毛抜形太刀《けぬきがたたち》は、二尺強の刀身そのものの反りは浅いが、棟区《むねまち》（刀身のうち、鍔を装着する部分。鍔元《つばもと》、腰元《こしもと》とも呼ぶ）のところで大きく反りを打っている。なお、毛抜形太刀というのは、刀身と一体形の把《つか》（柄）に見られる透かし彫りが当時の毛抜きに似ていることからついた呼称である。

彎刀の第一号となった毛抜形太刀は平安時代の末期まで用いられ、鎌倉時代に太刀のスタンダードな様式が完成するに至った。

武士の闘争が続いた鎌倉～戦国時代の合戦場において、実は太刀以上に活用されていたのが、一尺以下の短刀である。

当時の短刀は、腰刀《こしがたな》と呼ばれた。現代の視点から見れば残酷な行為なのだが、腰刀は合戦で立てた手柄の証拠として、自分が倒した敵の首級《しるし》を切断し、持ち帰るときに用いられた。まだ息のある敵と思いがけず格闘になった場合にも、太刀と違って刀身が短いために右手（馬手《めて》）でさっと抜き放ち、一挙動で仕留めることができるので重宝された。短刀が馬手差《めてざし》や鎧通《よろいどお》しと呼ばれるのは、合戦場に欠かせない武具だったことの名残なのである。

なお、この手の合戦向けの短刀に限っては、太刀および刀（打刀）を帯びるときは左腰という原則にとらわれず、右腰に差すのが基本だった。理由は、格闘戦においては体を密着させて敵を押さえ込むため、利き手がすぐに届く側の腰、すなわち右利きの人の場合は右腰に短刀がなくては、一挙動で抜くことができないからである。このように文章で書くとくどくなるが、壁にお腹を押しつけた状態をイメージしてもらえば、左腰に手が届くに届かない、その点、右腰ならば……とおわかりいただけるだろう。

戦国時代から主流となってきた刀（打刀）は、刀身の基本的な形状そのものは太刀と変わらない。唯一にして最大の違いは、携行法だ。

前項目で述べたように、太刀は鞘についている鐶に緒を通し、左腰に提げて持ち歩く。刀のように帯の間に差していないため、いつもぶらぶらしていて安定しておらず、抜くときにはまず左手でぶらつきを押さえなくてはならない。柄を握っただけでは、すぐに抜き放つことができないのだ。一方、刀は帯の間に差し込んで携行するので常に安定しており、ぶらつく太刀と違って抜きやすい。

いざという場合に鞘から抜くときの予備動作を伴うか否かが、太刀と刀の違いなのである。

なお、刀身の長短も区分上のひとつの目安となっており、二尺以上とひとくくりにされていても太刀は一般に長く、刀は短めである。とりわけ南北朝時代には、大太刀《おおだち》と呼ばれる三尺(約九〇センチメートル)のものが合戦場で用いられた。これは長柄《ながえ》武器と称された長い柄《え》つきの武具に対抗するためで、合戦のスタイルが個人戦闘から集団戦闘に移行した戦国時代以降は自然と絶えた。

江戸時代を迎えて合戦が途絶え、大小《だいしょう》の二刀(打刀と脇差)が武士の身分標章となってからは、太刀であれ刀(打刀)であれ、三尺以上のものを携行することは徳川幕府に禁じられた。平和な世においては古《いにしえ》の合戦場のように長柄武器と刀で渡り合う機会などあり得ないし、また起こってはならない。物騒な大太刀は完全に無用の長物と見なされたのだ。

ちなみに、物干竿《ものほしざお》の俗称で知られる三尺一寸《すん》(約九三センチメートル)の大太刀を愛用したという、吉川英治『宮本武蔵』の佐々木小次郎《ささきこじろう》は、大坂夏の陣(一六一五)で天下が完全に徳川家のものとなる以前の人物なので、たとえ実在していたとしても取り締まられたりはしなかったはずである。

長柄《ながえ》武器

長柄武器についても、簡単に説明しておく。

時代順に、長柄武器の代表格としては、鉾《ほこ》、薙刀《なぎなた》、槍《やり》、長巻《ながまき》が挙げられる。

古墳の出土品を除けば、たまに古代を舞台とする時代劇で目にする以外にはなじみのない鉾だが、平安時代中期に薙刀が普及するまでは大陸伝来の長柄武器として永らく重宝されており、盾《たて》とワンセットで歩兵に欠かせない装備だった。

薙刀といえば江戸時代の武家の女性の嗜《たしな》みとされた武具で、人気の大奥《おおおく》ものでもおなじみだが、その歴史は古く、作られたのは槍よりも前である。南北朝時代に槍が登場した後も、室町時代末期に至るまで、騎馬武者と徒歩《かち》武者の別を問わない合戦場向けの手持ち武器としての地位を保った。

槍が発達したのは、室町時代末期から戦国乱世に突入してからである。足軽が集団で持ち、槍衾《やりぶすま》を作ることによって効果を発揮した長槍《ながやり》から、戦技に優れた騎馬武者が好みで用いた鎌《かま》槍《やり》や大身槍《おおみやり》まで、さまざまなバリエーションが見られた。

また、戦国乱世には、南北朝時代の大太刀の刀身に一〇〇～一三〇センチの柄《え》を装着し、バランスを取って振り回しやすく改良した長巻も活用されている。

刀身《とうしん》

刀身には、部位別にさまざまな呼称がある。

まず、いちばん先端のとんがったところを剣《けん》尖《せん》、または切先《きっさき》と呼ぶ。この切先の形は、大《おお》・中《ちゅう》・小《こ》切先、猪首《いくび》切先に大別される。猪首切先というのは、文字通りほとんど首のない猪《いのしし》を思わせるような伸びの足りないものだが、実戦仕様の肉厚の刀身に多く見られ、切れ味鋭い剛刀の代名詞ともなっている。

また、刀身を「寸延《すんの》び、寸詰《すんづ》まり」と表現するのは、切先が伸びやかな感じか、逆に詰まった感じなのかというイメージを指している。

切先から三〜四寸（約九〜十二センチメートル）のあたりを物打《ものうち》と称し、剣術では刀を物打から斬る対象に当てていくことがポイントとされている。理屈は野球やゴルフのスイングと同じなのだが、最大に近ければ近いほど、確実に遠心力が加わるからだ。

対象をジャストミートしようとすれば先っぽでかするだけではなんにもならないため、しっかりと捉《とら》えなくてはならない。物を打つと書いて物打と呼ぶのも自ずと納得できよう。

続いて、刀身の両側面を見てみよう。横たえた刀身の真ん中あたり、ちょっと盛り上がっている部分が鎬《しのぎ》である。俗に、ライバル同士が競い合うことを「鎬を削る」というが、それは、刀と刀を交えたとき、刀身のうちで最も頑丈な鎬の部分がまさに削れるようにして競り合うからだ。

斬ってきた敵の刀を受け止め、あるいは受け流すときには、刃ではなく、鎬を当てていくことが剣術の鉄則とされている。また、頭上に振りかぶる瞬間は必ず鎬を敵の方向にかざし、横合いから別の敵が不意に斬りかかってくるのに備えるのが正しい刀のさばき方といわれる。

刃の反対側を峰《みね》と呼ぶ。時代劇でおなじみの「峰打ち」に用いられる部分だが、古武術界の長老である名和弓雄氏が『時代劇を斬る』（河出書房新社）のなかで解説しておられるように、本来の峰打ちは力任せに打ち据えるのではなく、刃が敵の体に届く寸前に刀身を一回転させ、軽く当てるのが正しい姿である。てっきり斬られたものと思い込ませて敵を気絶させ、命を奪うことなく倒すのだ。まさに達人でなくては為し得ない高等技術といえよう。

造込《つくりこみ》

ここで、刀身全体の姿（造込）を表現する用語をまとめて解説しよう。

刀身は単に「身《み》」とも称され、横幅を身幅《みはば》と呼ぶ。先《さき》身幅というのは切先の部分の身幅のことで、元《もと》身幅とは鍔に近い部分、すなわち鍔元の身幅を指す。そして、刀身の厚みを指して「重《かさ》ね」という。

刀身の反りには二種類あり、腰《こし》反りと華表《とりい》反り（京《きょう》反り）に大別される。先述した毛抜形太刀に代表される腰反りは、棟区《むねまち》（＝鍔元近く）で反っているタイプで、華表反りは刀身全体が弧を描くようになっており、刀身の中央部分の反りが最も大きい。

鎌倉時代の太刀を指して「踏《ふ》ん張《ば》りが強い」という常套句《じょうとうく》があるが、これは腰反りを典型とした、当時の太刀に共通する特徴だ。鍔元近くからぐぐぐっと反った刀身の姿が、まるで人が大地を踏み締め、背筋を伸ばして反り返っているように見える……というイメージで見てもらえれば、わかりやすいのではないだろうか。

刀身を見るときに、忘れてならないのが茎《なかご》だ。

ふだんは柄《つか》の下に隠されている茎には、作者である刀工の名前や完成した年月日といったデータが、銘《めい》として彫り込まれる（正しくは銘を切る、掻《か》くという）。刀工によっては名前を残すのを嫌い、敢えて無銘《むめい》で世に出す場合もある。逆に、戦国乱世には、所有者が自分の名を銘にしたケースが意外と目立つ。いつ合戦で落命し、心ならずも愛刀を手放すことになるかわからない時代に生きた武士の心の現れといえよう。

この銘を拓本《たくほん》にしたものが押形《おしがた》である。

長すぎる刀身を扱いやすいサイズに短縮加工（磨《す》り上《あ》げ）するときには、オリジナルの茎を切断して、刀身の下半分の刃を潰して新たな茎が設けられてしまう場合が多いため、押形は貴重な記録となる。また、戦火や不慮の火災に見舞われて名刀が焼身《やきみ》になってしまい、原形をとどめなくなってしまったときも、押形さえ残っていれば過去のデータを知り、在《あ》りし日の姿を偲《しの》ぶこともできるため、その価値は高い。

銘には、表《おもて》銘と裏《うら》銘がある。

この「表」「裏」というのは、刀身を左腰に帯びて携行するときに、体の外側（表）に来るか、それとも内側（裏）に来るかの違いを意味する。

一般に刀工名は表の茎に掻かれ、年月日や所有者名などは裏に見受けられる。

なお、ややこしい話で恐縮だが、太刀と刀（打刀）では表裏が逆になる。前述したように、太刀は刃を下に向けて「佩」き、刀は上に向けて「差」すからだ。

また、刀身には象嵌《ぞうがん》や彫刻などの装飾加工がよく見られる。溶かした金銀で刀身を飾った象嵌よりも、むしろ多いのは直《じか》に彫り込む彫刻のほうで、図柄には不動明王《ふどうみょうおう》を始めとする、密《みっ》教《きょう》に題材を得たものが目立つ。合戦の多かった時代の太刀や刀に多く見られるのは、自軍の勝利や領土の拡大を願い、現世利益《げんせりやく》を目的に密教を信仰した武将たちの心情の現れだったという。

また刀身には、峰の近くの部分に、人を斬ったときの血流しと振るうときの重さの軽減を兼ねて樋《ひ》が掻かれていることが多いが、本来のものに添えて細い樋（添樋《そえび》、棒樋《ぼうび》）が施《ほどこ》されるのも、装飾加工の一種である。

刀装《とうそう》

刀身に装着されるパーツ、すなわち刀装（拵《こしらえ》）は、柄、鍔、鞘から成る。

ここでは初心者の皆様の混乱を避けるため、

ごく一般的な刀（打刀）の拵を具体例にする。

柄は、木を貼り合わせた上に乾燥させた鮫革《さめがわ》をかぶせ、さらに各種の色に染めた糸を菱形に巻いて仕上げる。これを菱巻《ひしまき》と呼ぶが、下の鮫革のつぶつぶがよく見えるように菱は大きめにするのが江戸時代の武士たちの好みとされた。刀装に金をかけ、より高級で表面の粒が目立つ鮫革を奮発していることを自慢するためだった。

また、目貫《めぬき》という装飾用の金具が菱形の下に巻き込まれており、鮫革ともども目立つように工夫された。

このように書いてしまうと、菱巻には実用性がまったくなかったと誤解されてしまうかもしれないが、実際に刀を抜いて（鞘走《さやばし》らせて）構えるときには、菱巻に指を絡《から》めて取り落とさないようにする用途があることを見逃してはならない。ちなみに、柄を握った両手の間隔は菱巻二つが限度とされている。真剣に遠心力を効かせて振るうには両手が離れすぎてもよくないし、完全にくっついていてもまずいからだ。

鍔を含めた金装具は金工師《きんこうし》、鞘は鞘師《さやし》と呼ばれる専門の職人たちがそれぞれに技を振るって仕上げる。本文中には刻《きざ》み鞘《ざや》（118ページ）が出てきたが、さまざまなデザインが凝《こ》らされた鍔と鞘は、独立した芸術品といっても過言ではないすばらしい姿を示している。

もちろん、鍔は誤って柄から手を滑らせ刃に触れてしまうのを防ぐためのストッパーであり、鞘は刀を安全に持ち歩くためのカバーとして本来存在することを覚えておきたい。俗に「鍔競り合い」といわれるが、鍔とは斬ってくる敵の刃を受け止めるために存在したというよりもむしろ、自身の手を傷つけないためのパーツと見なしてもらったほうがいいだろう。

もちろん、素材は柔らかい赤銅《あかがね》などばかりではなく、頑丈な総鉄製のものも絶えず作られていたのは事実なのだが、とみに精緻《せいち》な彫刻が施されるようになった江戸時代中期以降の鍔を見ていると、幾多の名匠たちには失礼ながら、いざというときの護拳具《ごけんぐ》としては不安に思えてくるからだ。

あくまでも私自身の好みであるが、刀はスタンダードな黒鞘《くろざや》にごくシンプルな菱巻の柄と小ぶりの角鍔《かくつば》、太刀は鞘のみならず金具まで漆《うるし》塗《ぬ》りで仕上げた、黒漆太刀《くろうるしたち》拵《ちごしらえ》というのが頼もしいところである。

刀工《とうこう》

刀（身）を生み出すために一門を構え、その技術を代々継承し広めてきた集団が刀工である。師匠（親槌《おやづち》）の助手として相槌《あいづち》を務め、文字通り「相槌を打つ」ことで技術を受け継ぎ、さらにオリジナリティーを発揮することで発達してきた刀工たちのルーツは、個人名が確認されているだけでも平安時代初期にまでさかのぼる。だが、連綿《れんめん》と続く各流派の膨大な系譜とデータを無造作に提示してしまうことは、残念ながら、無用の混乱を招く結果にしかつながらないことだろう。

そこで、ここでは、刃の模様を指す「刃文《はもん》」と刀身の表面の「地肌《ちはだ》」が各時代の刀工の作風を示す特徴とされており、戦国時代までに全国五カ所の名産地で「五か伝《ごかでん》」と呼ばれる基本流派が確立され、全国各地に伝播《でんぱ》して現代に至っているという点だけを押さえておいていただきたい。

本文中で、刃文については三本杉《さんぼんすぎ》（136ページ）と丁子刃《ちょうじば》（165ページ）を、地肌は大板目《おおいため》肌《はだ》（46ページ）、綾杉肌《あやすぎはだ》（46ページ）、八雲肌《やくもはだ》（150ページ）を挙げた。

参考までに、212ページにおいて代表的な地肌と刃文を紹介するが、初歩の初歩のうちは細かい違いはあまり気にせず、写真が多めに掲載されている専門書を拙著とは別に求めていただいて、刀ってこんなにきれいなものなんだ……と感じてさえもらえれば十分である。

　ここで、五か伝の内訳を挙げておこう。

　平安時代に始まった奈良の大和伝《やまとでん》と京の山城《やましろ》伝《でん》に端を発して、鎌倉幕府のお膝元である相模《さがみの》国《くに》へ招聘《しょうへい》された各地の名工たちが確立した相《そう》州伝《しゅうでん》、室町時代に名刀の産地として復権を果たした備前国《びぜんのくに》の備前伝《びぜんでん》、そして戦国時代に一大供給源となった美濃国《みののくに》の美濃伝《みのでん》が、五か伝のすべてである。

　江戸時代には五か伝の技術が京・大坂から江戸にまで広まり、単なるコピーには終わらない各刀工別のオリジナリティーを交えて進化する一方、古くから脇物《わきもの》と呼ばれた各地に土着の刀工集団の作風も伝承された。

　各時代の権力者たちが優れた刀工たちを積極的に登用し、庇護《ひご》していたのは、本文中で取り上げた通りである。

　稀代《きだい》の愛刀家だった後鳥羽《ごとば》天皇は月替わりで自分専属になる名工を欲し、退位して上皇となった後に、諸国から閏月番《うるうづきばん》を含む計十三人を選抜。専用の御剣《ぎょけん》を鍛《きた》える御番鍛冶《ごばんかじ》を務めさせた。鎌倉幕府との対立から不幸にして隠岐島《おきのしま》へ流刑に処されたときも六人の名工を伴い、二カ月交替で御番鍛冶制を存続させたというから、その刀剣熱は尋常ではなかったといえるだろう。

　また、徳川家康を始めとする江戸時代の諸大名も専属の御抱《おかかえ》鍛冶《かじ》を雇い、とりわけ地方諸藩では代々の藩主に一門の歴代当主が仕えて伝統の腕を振るうという慣習が幕末まで末永く続いた。

試《ため》し切《ぎ》り

江戸時代の話題に絡めて、試し切りについても触れておこう。

合戦のない平和な時代が到来してからも、所蔵するコレクションが切れ味鋭い利刀《りとう》であることを証明するため、世の武士はこぞって試し切りの機会を求めた。

もちろん自ら行うわけではなく、様剣術《ためしけんじゅつ》と呼ばれた専門のテクニックに覚えのある代理人を立てていたのだが、処刑された重罪人の死骸を用いての試し切りでは、たとえば人体の胴を二人ぶん（二つ胴）重ねて両断した、腕や腿《もも》などの各部位を一太刀で確実に断った……などと現代の視点から見れば物騒きわまりないデータが検出され、様銘《ためしめい》として茎裏《なかごうら》に記録された。残酷な話ではあるが、過去の時代の事実は事実として、目を背けることなく理解しておきたい。

この様剣術の専門家として有名だったのが、江戸在住の浪人身分のまま代々の当主が御様《おためし》御用首斬り役《ごようくびきりやく》として罪人の斬首《ざんしゅ》と試し切りの依頼に応えていた、山田朝《やまだあさ》（浅）右衛門《えもん》とその一門である。

また、古の合戦場さながらに兜鉢《かぶとばち》を対象とする試し切りも行われたが、死骸を相手にするのにも増して難易度が高かったらしく、成功したのは直心影流《じきしんかげりゅう》の榊原鍵吉《さかきばらけんきち》など、ごく一部の限られた剣客《けんかく》だけだった。

主要参考文献

『日本刀の掟と特徴』本阿彌光遜（美術倶楽部）
『新・日本名刀１００選』佐藤寒山（秋田書店）
『御剣』小笠原信夫監修（毎日新聞社）
『日本刀よもやま話』福永酔剣（雄山閣出版）
『日本刀おもしろ話』福永酔剣（雄山閣出版）
『武器と防具　日本編』戸田藤成（新紀元社）
『図鑑　刀装のすべて』小窪健一（光芸出版）
『鎌倉・室町人名事典　コンパクト版』安田元久編（新人物往来社）
『戦国人名事典　コンパクト版』阿部猛・西村圭子編（新人物往来社）
『徳川将軍列伝』北島正元編（秋田書店）
『三百藩藩主人名事典』全四巻　藩主人名事典編纂委員会編（新人物往来社）
『江戸時代』深谷克己（岩波ジュニア新書・日本の歴史【6】）
『詳説　日本史研究』五味文彦・高埜利彦・鳥海靖編（山川出版社）
『日本神話　神々の壮麗なるドラマ』戸部民夫（新紀元社）
『将門記・陸奥話記・保元物語・平治物語』矢代和夫・柳瀬喜代志・松林靖明・信太周・犬井善壽校注・訳（小学館）
『平家物語』全二巻　市古貞次校注・訳（小学館）
『義経記』梶原正昭校注・訳（小学館）
『太平記』全四巻　長谷川端校注・訳（小学館）

（口絵写真）

「国宝　七星剣」四天王寺蔵

「国宝　丙子椒林剣」四天王寺蔵

「太刀」（童子切安綱）東京国立博物館蔵

「大和国天国御太刀」（小烏丸）宮内庁蔵

「山城国国綱御太刀」（鬼丸国綱）宮内庁蔵

「国宝　大典太光世」前田育徳会蔵

「太刀」（大般若長光）東京国立博物館蔵

「太刀」（小竜景光）東京国立博物館蔵

「太刀」（上杉太刀）東京国立博物館蔵

「刀銘（時計紋）」（葵崩し菊紋の太刀）東京国立博物館蔵

「太刀」（三日月宗近）東京国立博物館蔵

「太刀　銘　助真」（日光助真）東京国立博物館蔵

「太刀　無銘（獅子王）」東京国立博物館蔵

「圧切長谷部」（へし切長谷部）福岡市博物館所蔵・要史康撮影

「太刀」（大包平）東京国立博物館蔵

「無銘短刀　正宗名物　庖丁正宗」徳川美術館所蔵

（刀剣イラスト）シブヤユウジ

牧秀彦（まきひでひこ）
1969年東京都生まれ。早稲田大学政治経済学部経済学科（日本経済史専攻）卒業。㈱東芝経理部に6年間勤務後、執筆活動に専念する。著書に、『剣豪 その流派と名刀』『剣豪全史』（以上、光文社新書）、『図説剣技・剣術』『名刀伝説』（以上、新紀元社）、『古武術・剣術がわかる事典』（技術評論社）など多数。近年は、『辻風の剣』（光文社文庫）、『大江戸火盗改 荒神仕置帳』『陰流・闇仕置 松平蒼二郎始末帳』（以上、学研M文庫）と、時代小説を精力的に執筆。夢想神伝流居合道四段。

名刀《めいとう》 その由来《ゆらい》と伝説《でんせつ》

2005年4月20日初版1刷発行
2008年5月5日　　3刷発行

著　者 ― 牧秀彦
発行者 ― 古谷俊勝
装　幀 ― アラン・チャン
印刷所 ― 萩原印刷
製本所 ― ナショナル製本
発行所 ― 株式会社 光文社
東京都文京区音羽1　振替 00160-3-115347
電　話 ― 編集部 03(5395)8289　販売部 03(5395)8114
業務部 03(5395)8125
メール ― sinsyo@kobunsha.com

 ISBN 978-4-334-03303-3

170
「極み」のひとり旅
柏井壽

あるときは豪華客船で、あるときは各駅停車で、あるときは高級旅館で、あるときは安ビジネスホテルで——。一年の大半を旅に費やす著者が明かす、ひとり旅の極意とは？

171
江戸三〇〇藩 バカ殿と名君
うちの殿さまは偉かった？
八幡和郎

"世直し"の期待を背負って、三〇〇藩の殿さまたちは、なにを考え、どう行動したのか？ 放蕩大名や風流大名から名君中の名君まで、江戸の全時代から選りすぐりの殿さまを紹介。

172
スティグリッツ早稲田大学講義録
グローバリゼーション再考
藪下史郎 荒木一法 編著

グローバリゼーションは世界を豊かにしているのか。ＩＭＦが推奨する自由化政策は、アメリカだけが富めるシステムだ。ノーベル賞学者の講義を収録、その理論的背景を解説する。

173
「人間嫌い」の言い分
長山靖生

人間嫌いを悪いものだとばかり考えず、もっとポジティブに評価してもいいのではないか。変わり者の多かった文士の生き方等を引きながら、煩わしい世間との距離の取り方を説く。

174
京都名庭を歩く
宮元健次

日本一の観光地・京都でとりわけ見所の多い珠玉の庭園群。最新の研究成果を盛り込みながら、世界遺産を含む27名庭を新たな庭園観で描く。〈庭園リスト・詳細データ付き〉

175
ホンモノの温泉は、ここにある
松田忠徳

２００４年の夏、日本列島で相次いだ温泉の不祥事。その根っこはいったいどこにあるのか？ 問題の所在と解決策を、温泉教授が解きほぐす。源泉かけ流し温泉１３０カ所を紹介。

176
座右の諭吉
才能より決断
齋藤孝

「浮世を軽く視る」「極端を想像す」「まず相場を知る」「喜怒色に顕わさず」——類い希なる勝ち組気質の持ち主であった福沢諭吉の珠玉の言葉から、人生の指針を学ぶ。

177 現代思想のパフォーマンス 難波江和英・内田樹

現代思想は何のための道具なの？ 二〇世紀を代表する六人の思想家を読み解き、現代思想をツールとして使いこなす技法をパフォーマンス（実演）する。

178 ドコモとａｕ 塚本潔

携帯電話業界で圧倒的なシェアを誇るドコモと、それを猛追するａｕ。両社の関係者に密着取材しながら、日本の携帯電話市場の知られざる全貌と、日本のモノづくりの底力を探る。

179 謎解き アクセサリーが消えた日本史 浜本隆志

古代に豊かに花ひらいた日本のアクセサリー文化は、奈良時代以降なぜか突然消滅、明治になるまで千百年もの間、空白期が続いた。誰も解きえなかったこの謎を初めて解明する。

180 東京居酒屋はしご酒 今夜の一軒が見つかる・厳選１６６軒 伊丹由宇

「ああ、今日はいい酒だった」と言える店を求め、今日も夜な夜な東京を回遊する男一人。老舗から隠れた名店まで、いい酒と肴がおいてあるだけでなく、心がやすらぐ店を紹介。

181 マルクスだったらこう考える 的場昭弘

ソ連の崩壊と共に〝死んだ〟マルクス。その彼が、出口の見えない難問を抱え、資本主義が〈帝国〉へと変貌しつつある今の世界に現れたら、一体どんな解決方法を考えるだろうか。

182 ナンバのコーチング論 次元の違う「速さ」を獲得する 織田淳太郎

いかに速く走るか？ いかにスポーツのパフォーマンスを上げるか？ 「ナンバ」の発見以降、スポーツの現場で注目を集める武術や武道の動きを、豊富な取材をもとに解説する。

183 美は時を超える 千住博の美術の授業Ⅱ 千住博

アルタミラの洞窟画から、モネ、水墨画、良寛・芭蕉、メトロポリタン美術館、ウォーホル、現代美術まで――時空を超えて美の本質をさぐる。二一世紀に生きるための芸術論。

184 「書」を書く愉しみ　武田双雲

音楽家とのパフォーマンス書道や斬新な個展など、独自の創作活動を展開する武田双雲が伝えるまったく新しい書道入門。時代の流れに逆らうからこそ、いま花開く書の魅力。

185 築地で食べる　場内・場外・〝裏〟築地　小関敦之

築地食べ歩きの達人が、豊富な食に関する知識をもとに、TVや雑誌の築地特集とはひと味違う、本当に美味いものを紹介する。他に類のない、食べ手サイドからの築地情報が満載！

186 自由という服従　数土直紀

「自由って、そんなにすばらしいことだろうか?」——ふとした疑問を元に、二〇年間、自由と権力とについて考え抜いてきた著者がたどりついた結論とは? 自由論の決定版！

187 金融立国試論　櫻川昌哉

「オーバーバンキング」(預金過剰)がバブルを起こし不良債権をつくり金融危機を招いた。「カネ余りの不況」世界史的にも稀な現象がなぜ日本で起きたのか? マクロの視点で読み解く。

188 ラッキーをつかみ取る技術　小杉俊哉

人の評価を気にしない、組織から離れてみる、嫌なことはしない、絶対にあきらめない……。キャリアが見えない時代に、こちらから積極的にラッキーを取りにいくためのキャリア論。

189 「間取り」で楽しむ住宅読本　内田青蔵

「玄関がない」「一畳半の台所」「部屋がない」「部屋しかない」。ニッポンの一〇〇年の間取りには、こんなドラマがあった！住み手にとって大事なことは? 「間取り」からヒントを得る。

190 幻の時刻表　曽田英夫

「日本—莫斯科《モスクワ》—羅馬《ローマ》—伯林《ベルリン》—倫敦《ロンドン》—巴里《パリ》」——かつて欧州と日本はひとつに結ばれていた……。本書は、戦前の時刻表をたよりに、貴方を古きよき時代へ仮想旅行に誘う。

光文社新書

198 **営業改革のビジョン**
失敗例から導く成功へのカギ
高嶋克義

企業が一度は取り組むものの、挫折することの多い営業改革。本書は、実際の企業への取材を通して、失敗原因のプロトタイプをあぶり出し、成功へ導くポイントを探る。

199 **日本《島旅》紀行**
斎藤潤

海がきれい。空気がきれい。都会に疲れた。静かな所で過ごしたい。誰も知らない島へ――。北の島から南の島、なにもないのにもう一度行きたい島まで、島旅にハマる。

200 **「大岡裁き」の法意識**
西洋法と日本人
青木人志

日本人にとって法とは何？　法はそもそもわれわれの法意識に合ったものなのか？　司法改革が突き進むいま、長い間法学者の間で議論されてきたこれらの問題を、改めて問い直す。

201 **発達障害かもしれない**
見た目は普通の、ちょっと変わった子
磯部潮

脳の機能障害として注目を集める高機能自閉症やアスペルガー症候群を中心に、発達障害の基礎知識とその心の世界を、第一線の精神科医が、患者・親の立場に立って解説する。

202 **強いだけじゃ勝てない**
関東学院大学・春口廣
松瀬学

大学選手権八年連続決勝進出、うち五回の優勝を誇る関東学院大学ラグビー部。名将・春口廣は、いかに無名校を強くし、伝統校の壁を乗り越えたのか。緻密な取材でその秘密に迫る。

203 **名刀　その由来と伝説**
牧秀彦

誰の手に渡り、何のために使われたのか？　ヤマトタケルの遺愛刀から源平合戦の剛刀・利刀、そして徳川将軍家の守り刀に至るまで、五十振りの「名刀」に息づくサムライたちの想いをたどる。

204 **古典落語ＣＤの名盤**
京須偕充

長年、圓生や志ん朝など、数多くの名人のLP、CD制作に携わってきた著者による体験的必聴盤ガイド。初心者から上級者まで、これ一冊あれば、一生「笑い」に困らない！